100 fiches-outils :

COMMENT S'ORGANISER AU QUOTIDIEN

DU MÊME AUTEUR
CHEZ LE MÊME ÉDITEUR

La bataille de l'efficacité personnelle, 1990.

Daniel OLLIVIER

100 fiches-outils :

COMMENT S'ORGANISER AU QUOTIDIEN

CHEZ LE MÊME ÉDITEUR

DANS LA MÊME COLLECTION

Guy LE BOTERF
75 fiches-outils : l'ingénierie et l'évaluation de la formation.

Pierre LEMAITRE et Henri-Pierre MADERS
100 fiches-outils : améliorer l'organisation administrative.

Pierre LEMAITRE et Henri-Pierre MADERS
103 fiches-outils : l'efficacité du tertiaire par l'analyse de la valeur des processus.

Joanna MEDA
47 fiches-outils : évaluer les logiciels de formation.

ISBN : 2-7081-1341-0

SOMMAIRE

NÉGOCIATION ET PRISE DE DÉCISION

DEUXIÈME PARTIE

Coordination et planification

RÉPARTITION ET ORGANISATION

COORDINATION INTERNE OU EXTERNE

PLANIFICATION ET PROGRAMMATION

TROISIÈME PARTIE

Information et formation

RECUEIL ET STRUCTURATION DE L'INFORMATION

TRANSMISSION ET PRÉSENTATION DE L'INFORMATION

FORMATION ET DÉVELOPPEMENT DES COMPÉTENCES

QUATRIÈME PARTIE

Contrôle et régulation

AUTOANALYSE ET DÉVELOPPEMENT DU PERSONNEL

SUIVI ET CONTRÔLE DE L'ACTIVITÉ

MAINTENANCE ET RÉGULATION DE L'ORGANISATION

INTRODUCTION

Dans un contexte si évolutif en ce qui concerne les orientations, technologies et structures..., chacun mesure le poids de l'organisation personnelle dans la conquête de la compétence, la contribution active au plan d'action de son unité, et la réalisation de ses projets personnels.
Dans l'esprit des intéressés, cette situation implique souvent la découverte de recettes et de solutions assurant une parfaite maîtrise des événements auxquels ils sont confrontés...
Rien de plus légitime, si ce n'est que des pratiques pouvant être transposées partout et à tout moment, il n'en existe guère.
Comme nous l'écrivions dans un ouvrage consacré à l'Efficacité Personnelle *, « le management du temps, c'est la gestion des contraires, il n'y a pas d'idéal à poursuivre, ni de solutions miracles assurant le succès à tout coup. Tout est affaire d'adaptation... »
Dans ce quotidien où la pression de l'urgence caractérise si fortement les pratiques, nous partageons avec F. Nietzsche l'intime conviction que « les seules richesses sont les méthodes... ».
Votre réussite professionnelle dépend de l'efficacité de vos outils et techniques d'Organisation. Voilà pourquoi ce guide se veut être, sans discours ni effets de style, à la fois une caisse à outils, une bible de références et un catalogue de recommandations.
Un ensemble d'anti-sèches pour celui qui veut de manière volontariste maîtriser les situations quotidiennes et préparer le moyen terme.

* Daniel Ollivier, *La bataille de l'efficacité personnelle*, Editions d'Organisation, Paris, 1990.

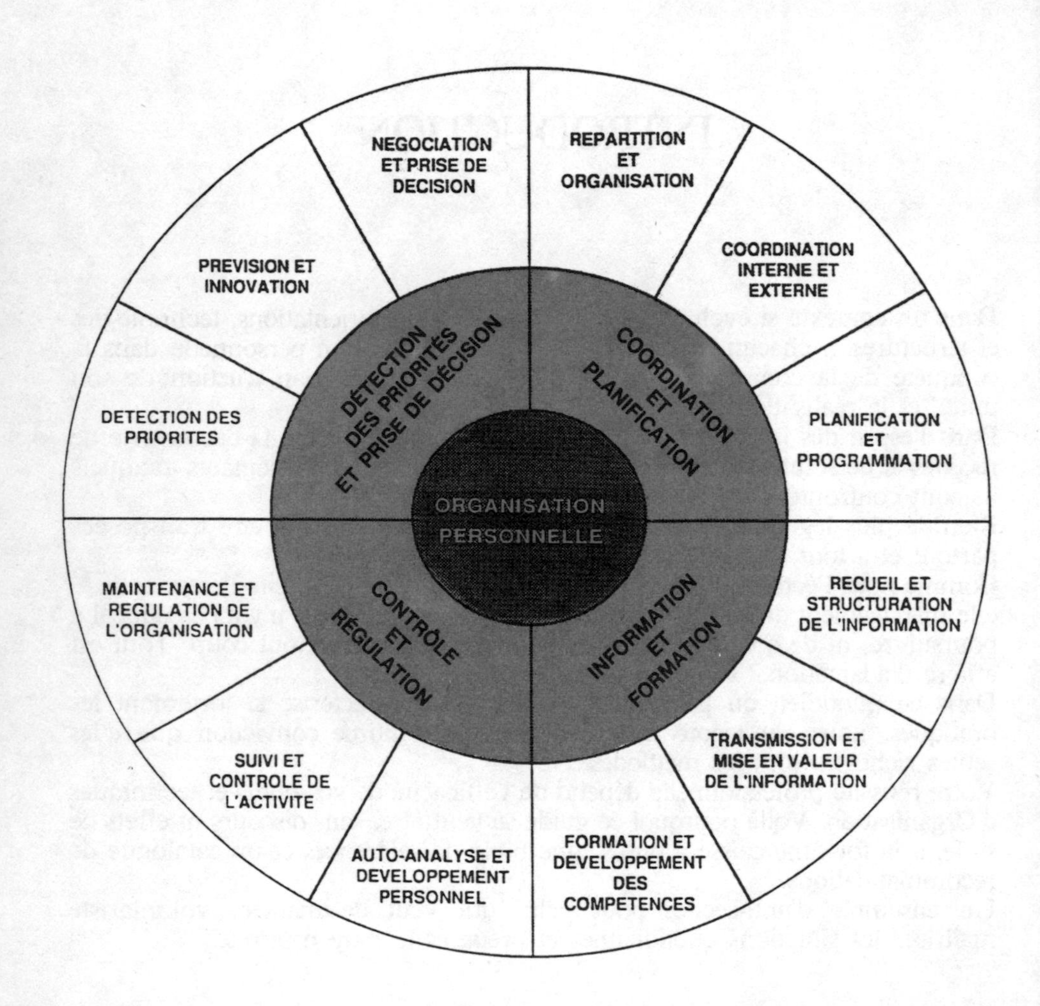
NEGOCIATION ET PRISE DE DECISION
REPARTITION ET ORGANISATION
COORDINATION INTERNE ET EXTERNE
PLANIFICATION ET PROGRAMMATION
RECUEIL ET STRUCTURATION DE L'INFORMATION
TRANSMISSION ET MISE EN VALEUR DE L'INFORMATION
FORMATION ET DEVELOPPEMENT DES COMPETENCES
AUTO-ANALYSE ET DEVELOPPEMENT PERSONNEL
SUIVI ET CONTROLE DE L'ACTIVITE
MAINTENANCE ET REGULATION DE L'ORGANISATION
DETECTION DES PRIORITES
PREVISION ET INNOVATION
DÉTECTION DES PRIORITÉS ET PRISE DE DÉCISION
COORDINATION ET PLANIFICATION
INFORMATION ET FORMATION
CONTRÔLE ET RÉGULATION
ORGANISATION PERSONNELLE

PREMIÈRE PARTIE

DÉTECTION DES PRIORITÉS ET PRISE DE DÉCISION

La capacité à détecter ses priorités et à prendre une décision consiste à prendre en toutes circonstances le recul nécessaire. Sous la pression d'un événement, l'action l'emporte souvent sur la réflexion.

Réfléchir avant d'agir... un slogan qui devient vite le premier principe actif de l'organisation personnelle dès lors qu'il s'inscrit naturellement dans les techniques et les méthodes de travail. Il est à l'origine de tout processus d'analyse, de la détection d'un dysfonctionnement à la prise de décision.

Comment détecter un dysfonctionnement ?... Comment résoudre un problème complexe par le biais d'un diagnostic méthodique puis mener une recherche de solutions novatrice ?...

Comment prendre une décision ?... Seul ou à plusieurs ?... Comment assurer, après la phase de validation, une pérennité aux décisions prises ?...

Les outils et techniques proposés dans cette première partie sont là pour s'imposer à nous comme de nouveaux réflexes. Ils trouvent leurs origines dans les dix idées-forces suivantes :

1. **POSER CLAIREMENT UN PROBLÈME...**
   Ne dit-on pas qu'un problème bien posé est à moitié résolu... En tout cas, ce savoir-faire est déterminant dans la résolution d'un dysfonctionnement, notamment dans cette capacité à ne pas confondre les effets et les causes...
2. **IDENTIFIER LES ENJEUX A COURT ET MOYEN TERME...**
   Le choix des priorités ne s'effectue pas dans l'absolu ou dans une perception statique des situations. Ce choix s'effectue à partir d'une matière première indispensable : l'expression des enjeux à court et moyen terme...
3. **MENER UNE DÉMARCHE MÉTHODIQUE POUR CLARIFIER LA HIÉRARCHIE DES PRIORITÉS...**
   Aux évolutions du contexte professionnel auxquelles vous êtes confrontés, il vous faut répondre par une mobilité volontariste de vos priorités. Evidemment cela n'a rien à voir avec le « mouvement brownien » où tout, en permanence, est remis en cause par l'actualité immédiate...
4. **CHOISIR DES OBJECTIFS PERTINENTS...**
   Le choix des objectifs opérationnels est l'aboutissement d'un processus où il s'agit de clarifier d'abord ses missions et orientations actuelles, puis ses priorités... En sachant qu'un objectif est par définition un but à atteindre, pas une action à entreprendre...

5. **ASSURER UNE MISE EN ŒUVRE RATIONNELLE ET HARMONIEUSE DES OBJECTIFS...**
Dès lors que le résultat à atteindre devient explicite, il reste à choisir les moyens à mettre en œuvre pour passer de la situation présente à la situation souhaitée. S'il y a « toujours plusieurs chemins pour aller à Rome... », l'un d'entre eux présente certainement les meilleures garanties de succès...
6. **POSITIVER ET PRÉPARER LE CHANGEMENT...**
Notre capacité d'adaptation nécessite une approche positive et volontariste des transformations. Sans engouement particulier mais aussi sans a priori. Elle bute souvent sur l'emprise de la routine et la résistance au changement...
7. **SORTIR DES SENTIERS BATTUS ET DES PRATIQUES STÉRÉOTYPÉES...**
Il est regrettable de constater que le poids des habitudes conditionnent certaines de nos pratiques au point de rendre parfois délicate la remise en cause de l'existant. Les outils de la créativité sont des moyens d'échapper à cet état de fait...
8. **FAIRE ADHÉRER LES PARTENAIRES AUX OBJECTIFS VISÉS...**
Le quotidien procure de nombreuses occasions de raisonner en terme d'objectifs (plutôt qu'en terme de moyens) : conduite d'une campagne commerciale, mise en place d'une nouvelle procédure, gestion de la formation interne...
9. **IMPLIQUER DE MANIÈRE JUDICIEUSE LES PARTENAIRES DANS LE PROCESSUS DÉCISIONNEL...**
S'il est parfois utile d'avoir recours à une méthode pour décider, l'efficacité réside parfois dans l'implication d'une ou plusieurs personnes dans le processus de prise de décision...
10. **NÉGOCIER SUR DES BASES CONTRACTUELLES...**
Comparer sa conception avec celle des autres est de fait la meilleure garantie pour communiquer et se mettre d'accord. Il est bien évident que cette démarche ne peut s'envisager que si la réflexion sur le sujet possède déjà un degré de maturation suffisant...

BIBLIOGRAPHIE SUR LE THÈME	DÉTECTION ET HIÉRARCHISATION DES PRIORITÉS	PRÉVISION ET INNOVATION	NÉGOCIATION ET PRISE DE DÉCISION
• LEMAITRE P. : *Des méthodes efficaces pour étudier les problèmes,* Editions Chotard, Paris, 1983	×		
• COLLET D., LANSIER P., OLLIVIER D. : *Objectif Zéro Défaut,* E.M.E., Paris, 1989	×		
• DE ROSNAY J. : *Le Macroscope,* Edition du Seuil, Paris, 1975	×		
• OLLIVIER D. : *La Bataille de l'Efficacité personnelle,* Editions d'Organisation, Paris, 1990	×		×
• MATHIEU-BATSCH C. : *Invitation à la créativité,* Editions d'Organisation, Paris, 1983		×	
• DEMORY B. : *La Créativité en pratique,* Editions Chotard, Paris, 1974		×	
• LEMAITRE P. : *Des méthodes efficaces pour trouver des solutions,* Chotard, Paris, 1985		×	×
• JAOUI H. : *Clefs pour la créativité,* E.M.E., Paris, 1975		×	
• KNEPER et TREGOE : *Le Manager rationnel,* Editions d'Organisation, Paris, 1972			×
• LEMAITRE P. : *La Décision,* Editions d'Organisation, Paris, 1981			×
• DRUCKER P. : *L'Efficacité, objectif numéro 1 des cadres,* Editions d'Organisation, Paris, 1968	×		
• LEBEL P. : *L'Art de la Négociation,* Editions d'Organisation, Paris, 1984			×
• MISSENARD B. : *Savoir négocier face à face,* Editions d'Organisation, Paris, 1987			×
• DUFOURMANTELLE P. : *La Dimension Temps-gestion du Temps-délégation-prise de décision,* Editions d'Organisation, Paris, 1986	×		×
• SIMONNET Renée et Jean : *L'Argumentation. Stratégie et Tactiques,* Editions d'Organisation, Paris, 1990			×

1	TECHNIQUES ET OUTILS DE DÉTECTION DES PRIORITÉS ET PRISE DE DÉCISION
DÉTECTION DES PRIORITÉS	**MÉTHODE DE RÉSOLUTION DE PROBLÈMES**

UTILITÉ

Un mode de traitement expéditif est tout à fait justifié pour traiter les situations urgentes. Par contre, une résolution durable des problèmes complexes auxquels vous êtes confrontés exige le recours à une méthode souple mais rigoureuse...

MODE D'EMPLOI

1. Inventorier les dysfonctionnements constatables dans votre activité personnelle ou dans celle de l'équipe de travail. Noter les situations insatisfaisantes (c'est-à-dire les effets) de manière précise. Un recensement « exhaustif » permet une véritable détection des priorités.
2. Hiérarchiser dans cette liste les problèmes identifiés afin de mettre en relief le dysfonctionnement prioritaire. Valider le choix du problème par une analyse de la situation existante et clarifier le but à atteindre.
3. Collecter et analyser l'information utile pour comprendre de manière objective le contexte dans lequel s'inscrit le problème à traiter.
4. Recenser les causes du problème (POURQUOI CELA NE VA PAS ?...) puis approfondir uniquement les causes prépondérantes afin d'identifier les racines profondes (les causes des causes).
5. Rechercher les solutions sur chaque cause essentielle en envisageant une démarche créative si nécessaire (voir fiches sur l'innovation).
6. Choisir les solutions les plus opérantes pour atteindre l'objectif visé initialement.
7. Mettre en œuvre les décisions prises dans le cadre d'un plan d'action et réajuster si nécessaire lors du suivi les modalités retenues.
8. Stabiliser le système par une formalisation des méthodes utilisées et un dispositif assurant sa pérennité (contrôle, formation...).

CONDITIONS D'EFFICACITÉ

Si les différentes phases de ce processus peuvent, en fonction du degré de complexité, se traiter plus ou moins rapidement, il est essentiel de respecter le traitement de chacune d'entre elles...

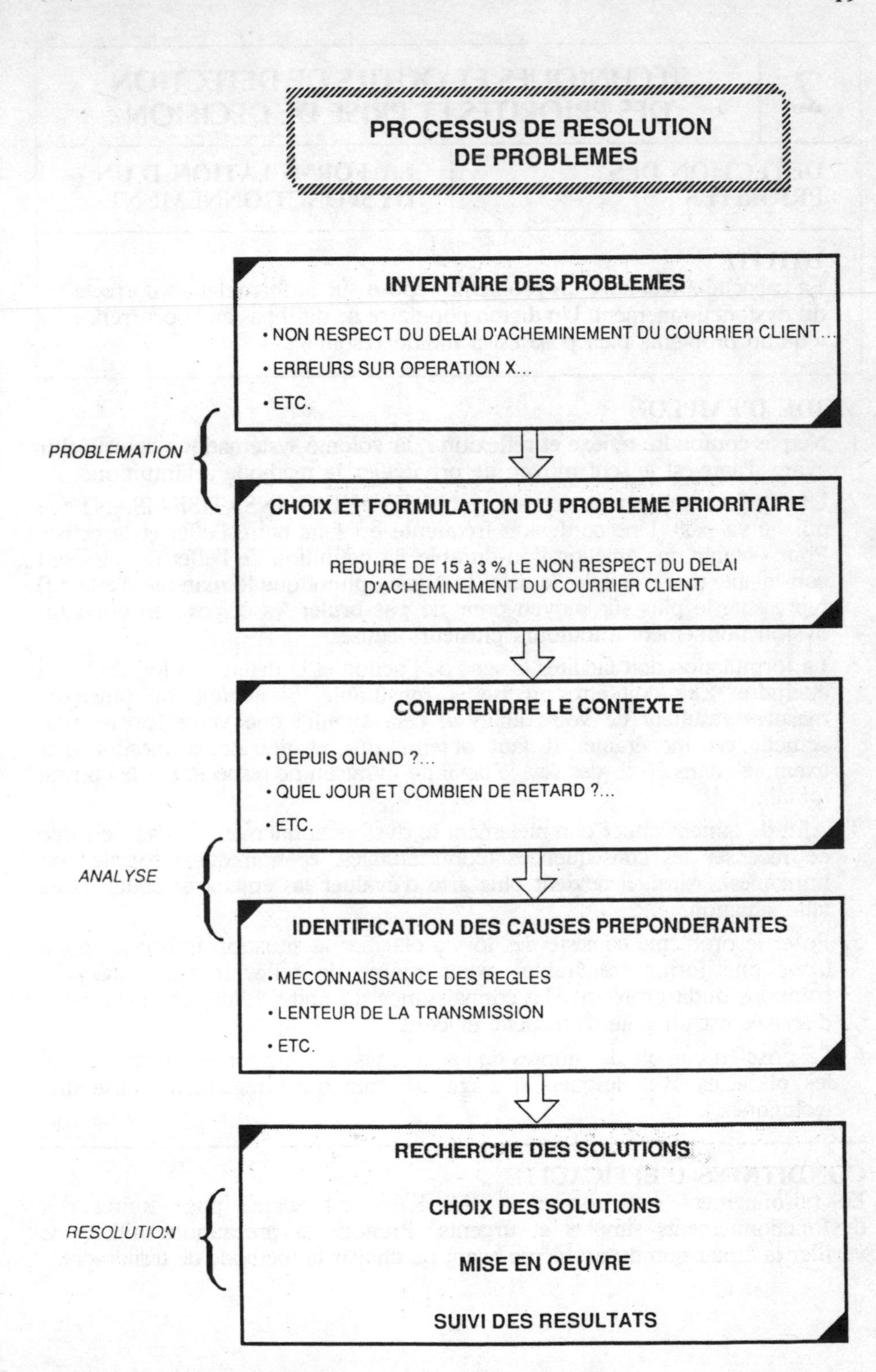
PROCESSUS DE RESOLUTION
DE PROBLEMES
INVENTAIRE DES PROBLEMES
• NON RESPECT DU DELAI D'ACHEMINEMENT DU COURRIER CLIENT...
• ERREURS SUR OPERATION X...
• ETC.
PROBLEMATION
CHOIX ET FORMULATION DU PROBLEME PRIORITAIRE
REDUIRE DE 15 à 3 % LE NON RESPECT DU DELAI
D'ACHEMINEMENT DU COURRIER CLIENT
COMPRENDRE LE CONTEXTE
• DEPUIS QUAND ?...
• QUEL JOUR ET COMBIEN DE RETARD ?...
• ETC.
ANALYSE
IDENTIFICATION DES CAUSES PREPONDERANTES
• MECONNAISSANCE DES REGLES
• LENTEUR DE LA TRANSMISSION
• ETC.
RECHERCHE DES SOLUTIONS
RESOLUTION
CHOIX DES SOLUTIONS
MISE EN OEUVRE
SUIVI DES RESULTATS

2	TECHNIQUES ET OUTILS DE DÉTECTION DES PRIORITÉS ET PRISE DE DÉCISION
DÉTECTION DES PRIORITÉS	**LA FORMULATION D'UN DYSFONCTIONNEMENT**

UTILITÉ

La capacité à résoudre un problème repose sur la formulation correcte du dysfonctionnement. Un dicton populaire ne dit-il pas en l'occurrence « qu'un problème bien posé est à moitié résolu »...

MODE D'EMPLOI

1. Ne pas confondre réflexe et réflexion... la volonté systématique de réfléchir avant d'agir est le seul moyen de privilégier la méthode à l'intuition.
2. Un dysfonctionnement exprime UN RÉSULTAT INSATISFAISANT (ce qui ne va pas). Une confusion fréquente est faite entre l'effet et la cause. Pour obtenir une amélioration durable, la définition de l'effet directement constatable (par exemple, le délai trop long plutôt que le manque d'effectif) représente le plus sûr moyen pour ne pas brûler les étapes : en effet, un dysfonctionnement a toujours plusieurs causes.
3. La formulation doit faciliter le sens de l'action et la détermination du but à atteindre. Elle doit être précise et mesurable. Si aucune ou plusieurs mesures résultent de votre analyse, cela signifie que votre formulation actuelle est inopérante. Il faut obtenir une et une seule mesure (par exemple : dans 20 % des cas, le délai de livraison ne respecte pas le contrat initial).
4. Afin de dimensionner complètement le dysfonctionnement, il s'agit ensuite de recenser les conséquences (commereiales, économiques, sociales ou humaines). Ainsi, il devient plus aisé d'évaluer les enjeux et coûts d'une telle situation.
5. Poser le problème consiste dès lors à clarifier la situation future attendue (sous une forme mesurable) avant même de réfléchir aux causes et solutions dudit problème. La connaissance du point de départ et du point d'arrivée est un gage d'efficacité évident.
6. La prise en compte des limites de l'action vise à anticiper les contraintes et les obstacles avec lesquels il s'agit de composer (règlement, faisabilité technique...).

CONDITIONS D'EFFICACITÉ

Le raisonnement sous forme de YA KA... est adapté pour traiter des dysfonctionnements simples et urgents. Prenons la précaution initiale de vérifier la dimension du problème avant de choisir la méthode de traitement...

POSER LE PROBLÈME

INSATISFACTION
– 20 % des fournisseurs se plaignent du non-respect du délai de règlement des fournisseurs.
OBJECTIF
– Le respect des conditions sera atteint dans un délai maximal de 12 mois, mais un premier objectif d'amélioration consiste, dans 6 mois, à ne plus constater le moindre dépassement au-delà de 6 semaines.
LIMITES
– Pour un montant supérieur ou égal à 30 000 F, le respect du contrat est impératif dès aujourd'hui. Une procédure d'urgence ayant par ailleurs pour mission de régler dans les 15 jours les litiges concernant quelques fournisseurs importants.

Cet exemple est extrait de l'ouvrage *Objectif Zéro Défaut* – la mesure de la qualité dans le tertiaire – de D. Collet, P. Lansier et D. Ollivier, E.M.E., 1989.

3	TECHNIQUES ET OUTILS DE DÉTECTION DES PRIORITÉS ET PRISE DE DÉCISION
DÉTECTION DES PRIORITÉS	**RELATION CLIENT-FOURNISSEUR**

UTILITÉ

Dans l'organisation en place, nous sommes à la fois client et fournisseur. Comprendre les attentes et besoins de ses clients directs (internes et externes à l'unité de travail) permet de mieux situer la valeur ajoutée de sa propre mission...

MODE D'EMPLOI

1. Identifier à partir des prestations effectuées ses fournisseurs (en amont dans le processus de travail) et ses clients (en aval).
2. Définir le niveau d'exigence des clients sur les prestations fournies (délai, quantité, fiabilité, disponibilité, facilité d'utilisation, etc.).
3. Situer sur les principales prestations (degré d'importance pour le client, volume des transactions gérées, coût en temps, etc.) vos propres performances au regard des éléments recueillis.
4. Repérer, sur les prestations présentant un différentiel pénalisant le client, les aspects à améliorer dans votre propre organisation personnelle.
5. Déterminer sur les prestations attendues de vos fournisseurs votre propre niveau d'exigence, puis mesurer l'écart avec les performances obtenues ; définir enfin le cadre de la négociation à mettre en œuvre.
6. Préciser à partir des différentes transactions (amont, aval) les priorités d'actions et les objectifs à atteindre dans les semaines ou mois à venir.

CONDITIONS D'EFFICACITÉ

Il y a une nécessaire actualisation des besoins des clients du fait de l'évolution de l'environnement. Faut-il rappeler que la meilleure manière de clarifier les besoins de ses clients se réalise à partir d'une communication directe. Une évidence qui parfois est étrangement oubliée dans les pratiques...

TECHNIQUES ET OUTILS DE DÉTECTION DES PRIORITÉS ET PRISE DE DÉCISION	4

DÉTECTION DES PRIORITÉS	FIXATION D'UN OBJECTIF OPÉRATIONNEL

UTILITÉ

Si les méthodes d'analyse et de décision préconisent parfois des approches différentes, elles sont toutefois d'accord sur un point : la capacité à obtenir un résultat est directement fonction de la précision du but poursuivi...

MODE D'EMPLOI

1. Disposer d'une définition actualisée de sa mission (à quoi je sers ?...) ainsi que d'une vision claire des priorités de celle-ci à la période considérée (Loi de Pareto présentée dans la fiche ARBRE DES CAUSES).
2. Compte tenu des évolutions prévisibles, déterminer, en fonction de vos forces et faiblesses les points critiques de succès. Sélectionner à partir de cette liste les 5 domaines clefs du changement pour les 6/12 mois à venir.
3. Sur chacun d'eux, identifier le but concret et mesurable que vous vous proposez d'atteindre par la mise en place d'actions appropriées. Définir la formulation en terme d'activité à mettre en œuvre (créer pour le ... un fichier commercial visant ...) ou de performance (obtenir une fiabilité du fichier commercial égale ou supérieure à 97 %...).
4. Valider l'objectif par rapport à :
   - son utilité vis-à-vis des besoins et priorités actuels ;
   - sa pertinence au regard de votre mission personnelle et de votre motivation à agir ;
   - la cohérence de sa formulation compte tenu du but visé.
5. Définir le délai (ou l'échéance) de réalisation en déclinant les étapes ou objectifs intermédiaires qu'il s'agit d'atteindre. Recenser ensuite les moyens nécessaires et suffisants pour obtenir l'effet attendu.

CONDITIONS D'EFFICACITÉ

Plus l'objectif est clairement délimité, plus il est aisé de définir par la suite les moyens à mettre en œuvre pour atteindre le résultat escompté. Si sa formulation n'est pas positive et stimulante, il y a peu de chance pour que le résultat soit effectivement atteint à la date prévue...

5	TECHNIQUES ET OUTILS DE DÉTECTION DES PRIORITÉS ET PRISE DE DÉCISION
DÉTECTION DES PRIORITÉS	**LE DIAGRAMME CAUSE/EFFET**

UTILITÉ
Face à une situation complexe, savoir ordonnancer les causes de pertes de temps développe votre capacité à identifier les causes prépondérables sur lesquelles il s'agit ensuite d'agir...

MODE D'EMPLOI

1. Faire un inventaire « exhaustif » des perturbations expliquant le problème étudié. Ce recensement non sélectif évite l'oubli, les risques de la subjectivité, et le danger de vouloir trop vite mettre le projecteur sur les éléments jugés a priori importants.
2. Classer les causes recensées dans les 4 familles composant la matrice (moyens/outils, comportements, environnement, méthodes). Lorsque la cause peut se classer à plusieurs endroits, reconstituer la chaîne causale (laquelle entraîne l'autre...).

- **MOYENS/OUTILS :** supports d'information, équipement informatique, effectif, outils d'organisation...
- **COMPORTEMENTS :** motivation personnelle, compétences, habitudes, traits de la personnalité...
- **ENVIRONNEMENT :** attitudes des partenaires internes ou externes à l'unité, conditions physiques de travail, structures de l'entreprise...
- **MÉTHODES :** techniques d'animation de l'équipe, procédures de travail, mode d'approche des situations...

3. Rechercher s'il existe entre les causes identifiées une relation de cause à effet. Cette mise en relation permet d'éliminer à chaque fois l'effet et de privilégier la cause.
4. Hiérarchiser le poids respectif des causes en fonction de leur impact sur le problème (répétitivité, gravité, coût en temps...).
5. Classer ensuite les causes à solutionner en fonction du degré de facilité (l'énergie à dépenser) et de la motivation personnelle (envie d'agir).

CONDITIONS D'EFFICACITÉ
Cet outil est efficace dès lors qu'il s'agit pour vous de structurer votre réflexion. S'il s'agit d'approfondir une analyse, l'arbre des causes apparaît plus performant...

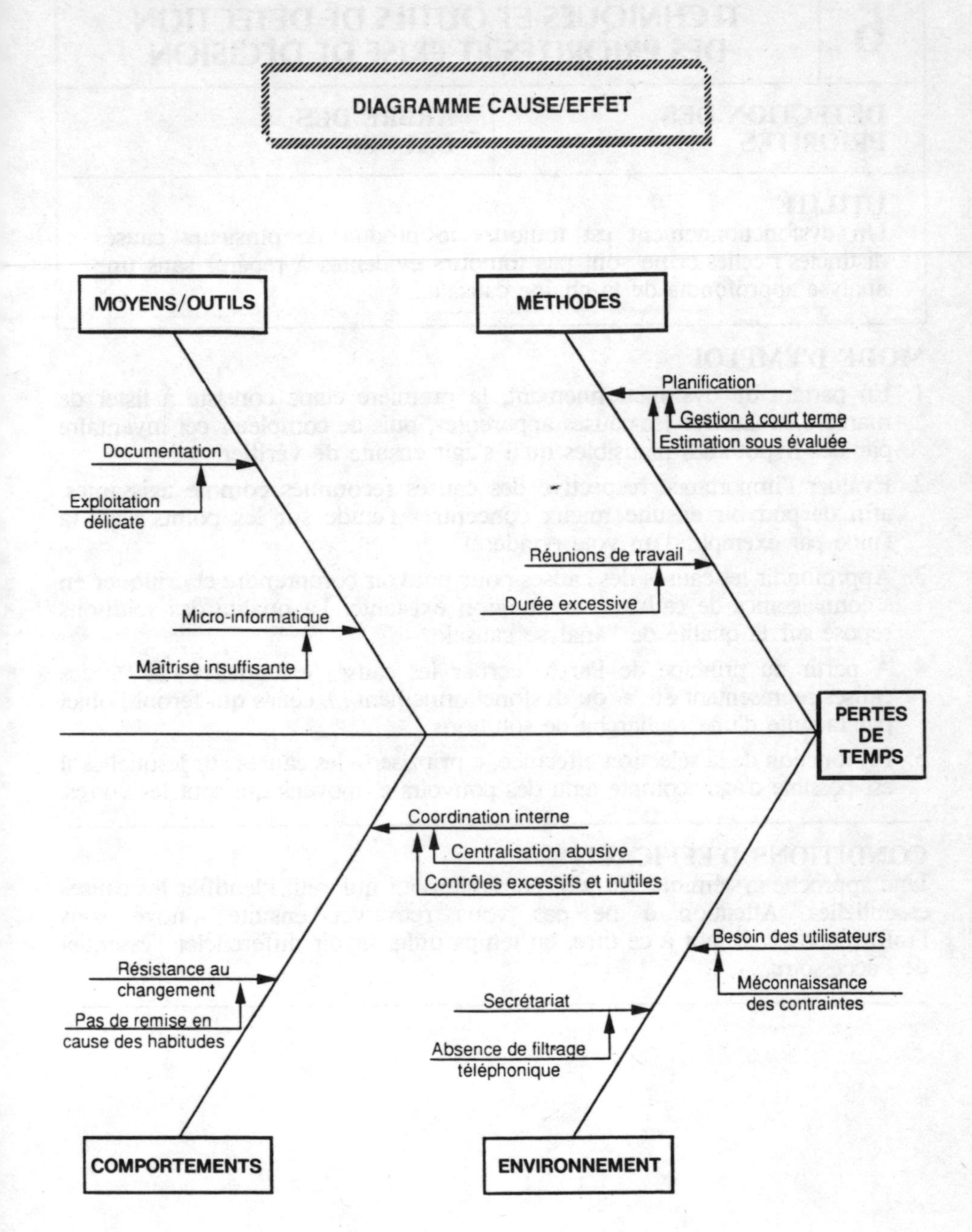
DIAGRAMME CAUSE/EFFET
MOYENS/OUTILS
MÉTHODES
Planification
Gestion à court terme
Estimation sous évaluée
Documentation
Exploitation
délicate
Réunions de travail
Durée excessive
Micro-informatique
Maîtrise insuffisante
PERTES
DE
TEMPS
Coordination interne
Centralisation abusive
Contrôles excessifs et inutiles
Besoin des utilisateurs
Méconnaissance
des contraintes
Résistance au
changement
Pas de remise en
cause des habitudes
Secrétariat
Absence de filtrage
téléphonique
COMPORTEMENTS
ENVIRONNEMENT

6	TECHNIQUES ET OUTILS DE DÉTECTION DES PRIORITÉS ET PRISE DE DÉCISION

DÉTECTION DES PRIORITÉS	ARBRE DES CAUSES

UTILITÉ

Un dysfonctionnement est toujours le produit de plusieurs causes distinctes ; celles-ci ne sont pas toujours évidentes à repérer sans une analyse approfondie de la chaîne causale...

MODE D'EMPLOI

1. En partant du dysfonctionnement, la première étape consiste à lister de manière exhaustive les causes apparentes, puis de compléter cet inventaire par des hypothèses plausibles qu'il s'agit ensuite de vérifier.
2. Evaluer l'importance respective des causes reconnues comme agissantes, afin de pouvoir ensuite mieux concentrer l'étude sur les points clefs (à l'aide par exemple d'un vote pondéré).
3. Approfondir les causes des causes pour pouvoir comprendre et critiquer en « connaissance de causes » la situation existante. La qualité des solutions repose sur la qualité de l'analyse causale.
4. A partir du principe de Pareto cerner les causes essentielles (20 % des causes représentent 80 % du dysfonctionnement...), celles qui feront l'objet par la suite d'une recherche de solutions.
5. En fonction de la sélection effectuée, « prioriser » les causes sur lesquelles il est possible d'agir, compte tenu des pouvoirs et moyens qui sont les vôtres.

CONDITIONS D'EFFICACITÉ

Une approche systémique est indispensable pour qui veut identifier les causes essentielles. Attention à ne pas vous retrouver ensuite « noyé sous l'information ». Il faut à ce titre, en temps utile, savoir différencier l'essentiel de l'accessoire...

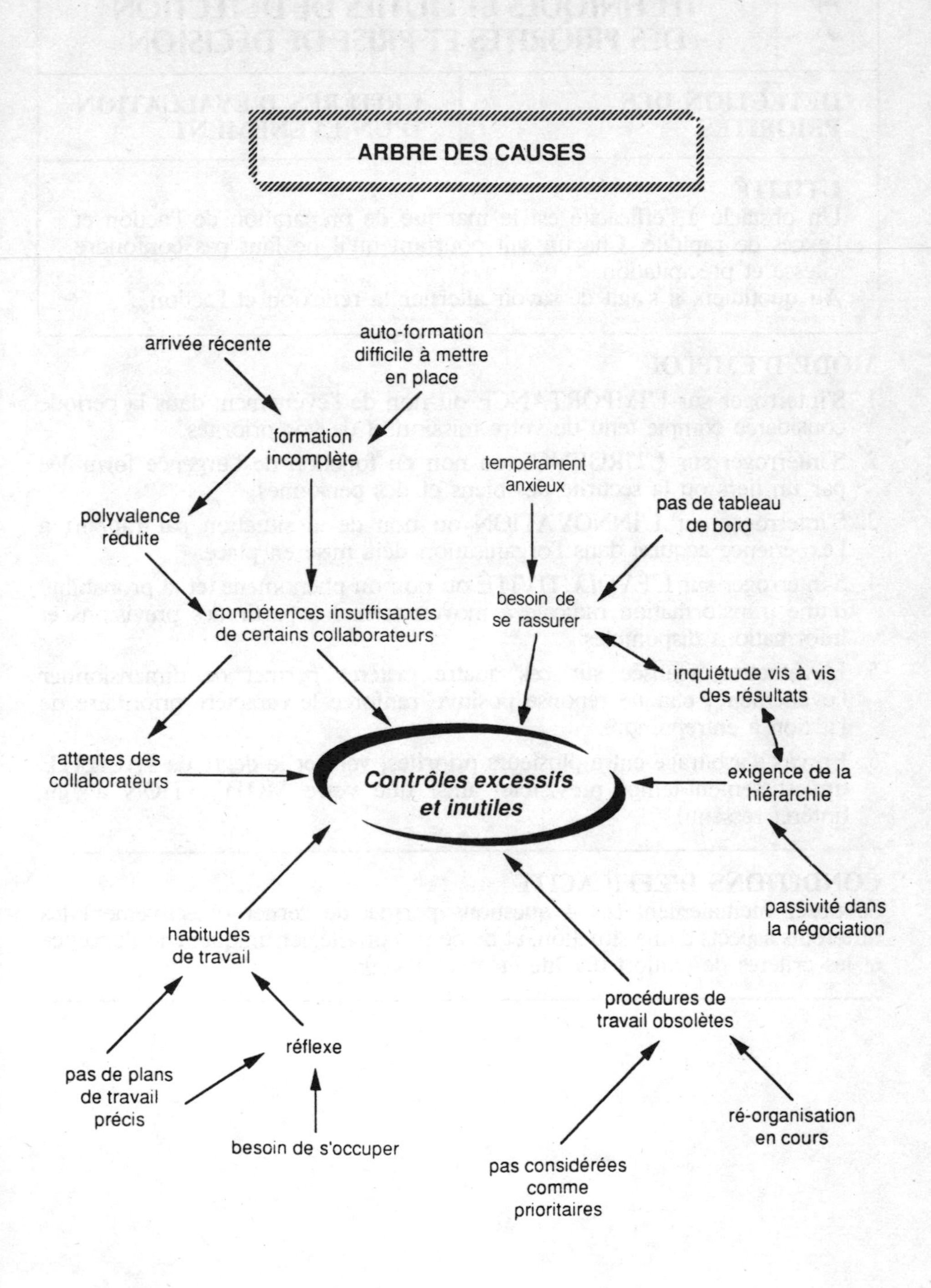
ARBRE DES CAUSES
arrivée récente
auto-formation difficile à mettre en place
formation incomplète
tempérament anxieux
pas de tableau de bord
polyvalence réduite
compétences insuffisantes de certains collaborateurs
besoin de se rassurer
inquiétude vis à vis des résultats
attentes des collaborateurs
Contrôles excessifs et inutiles
exigence de la hiérarchie
passivité dans la négociation
habitudes de travail
procédures de travail obsolètes
réflexe
pas de plans de travail précis
besoin de s'occuper
ré-organisation en cours
pas considérées comme prioritaires

7	TECHNIQUES ET OUTILS DE DÉTECTION DES PRIORITÉS ET PRISE DE DÉCISION

DÉTECTION DES PRIORITÉS	CRITÈRES D'ÉVALUATION D'UN ÉVÈNEMENT

UTILITÉ

Un obstacle à l'efficacité est le manque de préparation de l'action et l'excès de rapidité. Chacun sait pourtant qu'il ne faut pas confondre vitesse et précipitation.
Au quotidien, il s'agit de savoir alterner la réflexion et l'action...

MODE D'EMPLOI

1. S'interroger sur L'IMPORTANCE ou non de l'événement dans la période considérée compte tenu de votre mission et de vos priorités.
2. S'interroger sur L'URGENCE ou non en fonction de l'urgence formulée par un tiers ou la sécurité des biens et des personnes.
3. S'interroger sur L'INNOVATION ou non de la situation par rapport à l'expérience acquise dans l'organisation déjà mise en place.
4. S'interroger sur L'ÉVOLUTIVITÉ ou non du phénomène (et la probabilité d'une transformation radicale à moyen terme) à partir des prévisions et informations disponibles.
5. L'évaluation réalisée sur ces quatre critères permet de dimensionner l'événement : chaque réponse positive renforce le caractère prioritaire de l'action à entreprendre.
6. En cas d'arbitrage entre plusieurs priorités, vérifier le degré de FACILITÉ (investissement-temps prévisible) ainsi que votre MOTIVATION à agir (intérêt ressenti).

CONDITIONS D'EFFICACITÉ

Se poser mentalement ces 4 questions permet de cerner objectivement les différents aspects d'une situation, et de ne pas privilégier uniquement l'urgence et les critères de confort (facilité et motivation)...

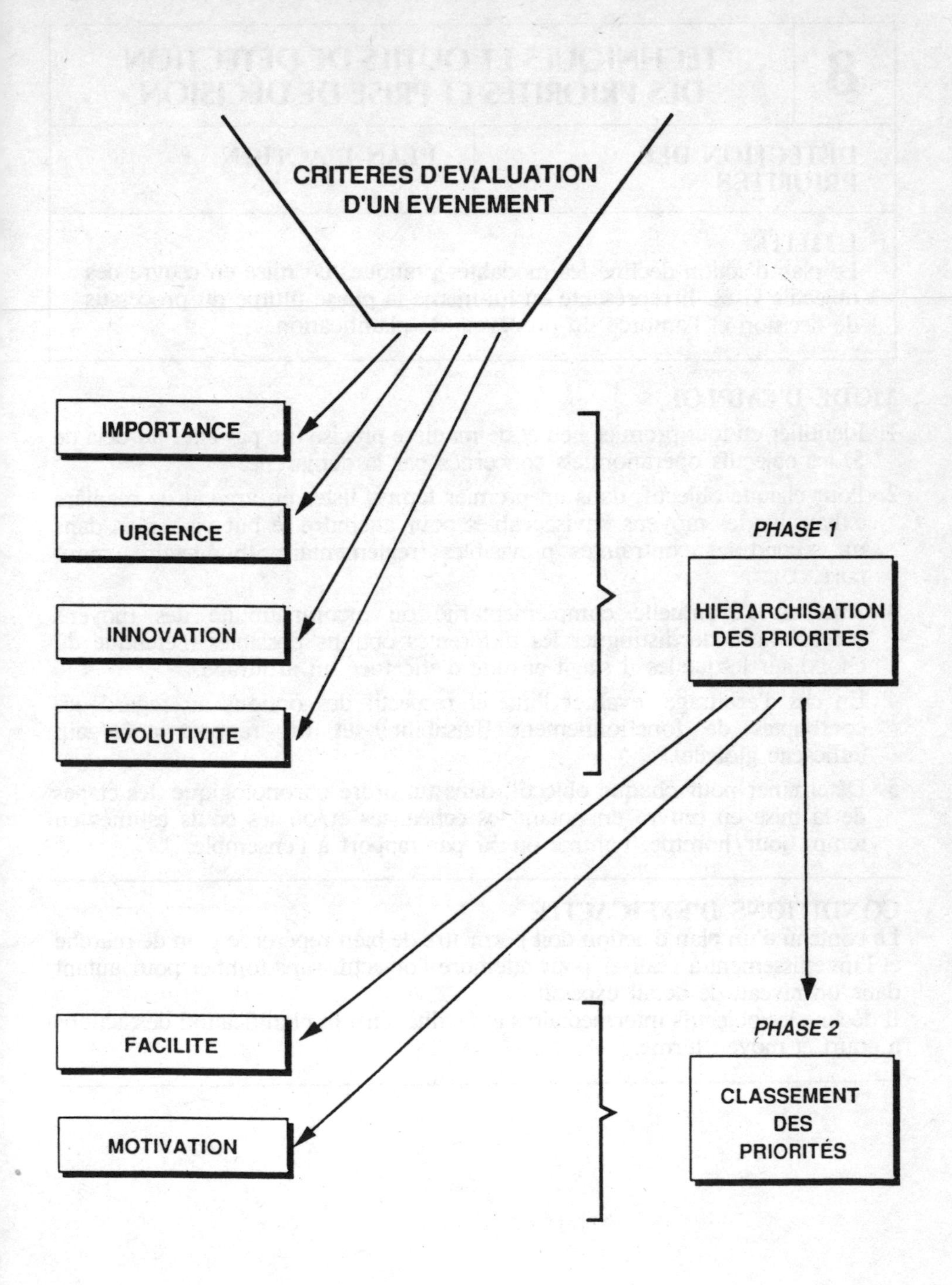
CRITERES D'EVALUATION
D'UN EVENEMENT
IMPORTANCE
URGENCE
INNOVATION
EVOLUTIVITE
PHASE 1
HIERARCHISATION
DES PRIORITES
FACILITE
MOTIVATION
PHASE 2
CLASSEMENT
DES
PRIORITÉS

8	TECHNIQUES ET OUTILS DE DÉTECTION DES PRIORITÉS ET PRISE DE DÉCISION

DÉTECTION DES PRIORITÉS	PLAN D'ACTION

UTILITÉ

Le plan d'action décline les modalités pratiques de mise en œuvre des objectifs visés. Il représente en lui-même la phase ultime du processus de décision et l'amorce du processus de planification...

MODE D'EMPLOI

1. Identifier en tout premier lieu et de manière précise (ne pas aller au-delà de 5) les objectifs opérationnels concernés par la démarche.
2. Pour chaque objectif, dans un premier temps, lister en vrac et de manière exhaustive les moyens envisageables pour atteindre le but visé, puis dans un second les contraintes prévisibles (réglementaire, budgétaire, statutaire...).
3. Analyser l'éventuelle complémentarité ou incompatibilité des moyens recensés afin de distinguer les différentes options possibles (l'étendue du choix) sur lesquelles il s'agit ensuite d'effectuer un arbitrage.
4. En cas d'arbitrage, évaluer l'intérêt respectif des options au regard des contraintes de fonctionnement (faisabilité) et du rapport coût/gain (efficacité globale).
5. Déterminer pour chaque objectif, dans un ordre chronologique, les étapes de la mise en œuvre en notant les échéances et/ou les coûts estimés en temps (jour/homme, volume ou % par rapport à l'ensemble...).

CONDITIONS D'EFFICACITÉ

Le contenu d'un plan d'action doit permettre de bien repérer le plan de marche et l'investissement à réaliser pour atteindre l'objectif, sans tomber pour autant dans un niveau de détail excessif.

Il décline les objectifs intermédiaires et facilite ainsi la planification des actions à court et moyen terme.

PLAN D'ACTION

OBJECTIFS	MOYENS/ACTIONS A ENTREPRENDRE...	ÉCHÉANCES
1 Accroître la fiabilité du fichier commercial (de 50 % à 80 %).	1. Mener un diagnostic sur les pratiques éventuelles.	FIN JANVIER
	2. Analyser les méthodes utilisées par les services analogues.	FIN JANVIER
	3. Présenter le projet de fonctionnement à partir des tests effectués.	FIN MARS
	4. Mise en place sur l'ensemble du service avec suivi des résultats.	FIN AVRIL
	5. Décision définitive et formalisation de la méthode retenue.	FIN AOÛT
2 Consacrer 10 % du temps à la formation des collaborateurs.	1. Etablir l'état actuel des compétences pour l'ensemble de l'effectif.	FIN FÉVRIER
	2.	

9	TECHNIQUES ET OUTILS DE DÉTECTION DES PRIORITÉS ET PRISE DE DÉCISION

PRÉVISION ET INNOVATION	MÉTHODE K. J. SHIBA

UTILITÉ

Vous souhaitez identifier des problèmes ou des solutions en groupe, dans un cadre d'analyse volontairement ouvert, à partir d'une méthode favorisant à la fois une implication individuelle et une dynamique collective...

MODE D'EMPLOI

1. Le groupe de travail (4 à 12 personnes) est assis côte à côte face au tableau ou face au mur prévu pour l'affichage.
2. Annoncer ou écrire sur une fiche ou carte le thème de réflexion proposé (exemple : Comment faire pour améliorer...).
3. Proposer un exercice d'échauffement (5 minutes) pour clarifier oralement les contours du sujet.
4. Distribuer 4 ou 5 cartes par participant avec les consignes : une production strictement individuelle, une seule idée par carte, une formulation claire et précise, écriture en majuscule.
5. Centraliser puis clarifier une à une le contenu de chaque carte pour vérifier la compréhension de l'ensemble des participants ; les afficher en modifiant si nécessaire le contenu dès lors qu'il se constate une incompréhension.
6. Regrouper les cartes par ensemble homogène (celles qui visent le même but) et donner des titres aux groupes ainsi constitués.
7. Établir des relations de dépendance entre les idées et rechercher les idées manquantes à partir du support réalisé.
8. Évaluer et sélectionner les idées en fonction de l'impact prévisible de leur choix et/ou de leur mise en application.

CONDITIONS D'EFFICACITÉ

La précision de la question d'appel joue un rôle considérable dans la production individuelle obtenue par la suite. La phase d'échauffement préalable est par ailleurs déterminante pour impliquer fortement les participants...

TECHNIQUES ET OUTILS DE DÉTECTION DES PRIORITÉS ET PRISE DE DÉCISION	10
PRÉVISION ET INNOVATION	**BRAINSTORMING**

UTILITÉ

Le brainstorming ou remue-méninges est une technique de créativité visant à produire un maximum d'idées dans un temps limité, par une expression spontanée et sans contraintes...

MODE D'EMPLOI

1. Expliquer les règles de fonctionnement d'un brainstorming : pas d'autocensure, les critiques ou justifications sont prohibées, privilégier la production quantitative, s'exprimer en phrases courtes et en termes concrets, associer les idées entre elles...
2. Proposer un exercice d'échauffement pour conditionner l'auditoire (ou soi-même) à cette pratique (2 ou 3 minutes maximum) sur un sujet simple du type : que vous suggère ce dessin ?... [O].
3. Lancer dans la continuité le thème proposé sous forme interrogative : Comment améliorer l'accueil dans nos locaux ?... En fixant comme challenge un objectif de quantité dans un temps défini (exemple : 80 idées en 10 minutes).
4. Définir par une approche rationnelle des rubriques de classement pour approfondir les idées recueillies (exemple : aménagement des locaux, procédure d'accueil, attitudes et comportement du personnel...).
5. Classer les idées dans les rubriques, en veillant à ne pas éliminer une idée sans avoir cherché préalablement un prolongement utile à la réflexion en cours.
6. Sélectionner les idées à partir des critères suivants : efficacité prévisible, faisabilité...
7. Passer de l'idée à la solution applicable en définissant les modalités pratiques de mise en œuvre.
8. Choisir les solutions en fonction des objectifs et des moyens disponibles.

CONDITIONS D'EFFICACITÉ

L'efficacité réside dans l'association des idées obtenues grâce au rythme soutenu de la production. Il faut considérer les idées farfelues comme de remarquables déclencheurs d'idées novatrices. Cette technique s'effectue en groupe, mais elle peut aussi se pratiquer de manière individuelle...

11	TECHNIQUES ET OUTILS DE DÉTECTION DES PRIORITÉS ET PRISE DE DÉCISION
PRÉVISION ET INNOVATION	**L'ANALOGIE**

UTILITÉ
Cette méthode de créativité repose sur la transposition d'une situation dans un autre contexte. Elle est particulièrement adaptée pour résoudre les problèmes insolites ou difficiles à résoudre compte tenu de l'implication...

MODE D'EMPLOI

1. Clarifier le problème posé et identifier dans quels domaines, lieux ou temps... des phénomènes comparables sont repérables.
   Exemple : il est constaté une insuffisante prise d'initiative des collaborateurs dans le fonctionnement interne de l'unité mais il apparaît préférable de prendre comme thème de réflexion une situation analogue et extérieure à l'entreprise.
2. Présenter l'illustration choisie et expliquer le but et l'intérêt de la méthode, à savoir : « susciter la créativité », « faciliter l'objectivité et l'expression »...
3. Noter chaque suggestion ou proposition en recherchant dès le départ une certaine exhaustivité.
4. Regrouper les idées recueillies par rubriques homogènes (4 ou 5 maximum) afin de faciliter les mises en relation des idées entre elles.
5. Hiérarchiser l'ordre de traitement des différentes rubriques en fonction de leur degré d'importance compte tenu du besoin ou de l'objectif poursuivi.
6. Evaluer l'intérêt ou l'utilité des idées au sein de chaque rubrique par rapport aux caractéristiques de la situation présente (les principales causes de l'inefficacité...).
7. Traduire les idées conservées en solutions opérationnelles et bâtir un plan d'action : QUI FAIT QUOI ? QUAND ? COMMENT ?...

CONDITIONS D'EFFICACITÉ

Une excellente manière de lutter contre le non-dit ou la résistance au changement. Rappelons-nous la scène avec la chatte Pomponnette dans le film « La femme du boulanger ». Il faut que l'exemple extérieur stimule véritablement l'esprit critique et/ou l'imagination...

TECHNIQUES ET OUTILS DE DÉTECTION DES PRIORITÉS ET PRISE DE DÉCISION	12
PRÉVISION ET INNOVATION	**LA MÉTHODE DITE PARADOXALE**

UTILITÉ

La quête de l'innovation exige bien souvent le recours à une certaine mise en scène. Cette méthode part du principe qu'il est toujours plus facile de critiquer une situation que d'émettre d'entrée de jeu des propositions constructives. La subtilité de cette démarche consiste donc à rechercher dans un premier temps l'inverse de ce que l'on souhaite trouver réellement...

MODE D'EMPLOI

1. Identifier le besoin réel (par exemple : être capable de réduire le nombre d'erreurs dans la mise à jour des fichiers) et définir la question paradoxale : Comment augmenter volontairement ou involontairement le nombre d'erreurs sur la mise à jour du fichier XL...
2. Dans un laps de temps défini en fonction de la difficulté de l'opération (prévoir 10 minutes), procéder à un recueil d'idées sans analyse ni commentaire des suggestions émises.
3. Inverser ensuite le sens de chaque proposition afin de lui donner une cohérence par rapport au besoin réel (par exemple, ne plus contrôler la mise à jour se transforme en définir les modalités de l'auto-contrôle [check-list]).
   Une idée de cette liste peut générer une ou plusieurs solutions concrètes susceptibles de répondre au besoin.
4. Eliminer parmi les solutions obtenues celles qui ne répondent pas précisément aux caractéristiques de la situation vécue (comparaison avec le réel).
5. Sélectionner si nécessaire les solutions envisageables en fonction de leur rapport utilité/coût et bâtir à partir de là un plan d'action.

CONDITIONS D'EFFICACITÉ

Il est important de bien scinder la phase de créativité de celle de l'analyse rationnelle. Une pause ou une période d'inter-session est souhaitable pour une pleine efficacité de cette méthode...

13	TECHNIQUES ET OUTILS DE DÉTECTION DES PRIORITÉS ET PRISE DE DÉCISION
PRÉVISION ET INNOVATION	**MATRICE DE LA DÉCOUVERTE**

UTILITÉ

Cette technique vise à mettre en relation par une démarche systématique les besoins qui justifient cette quête d'innovation aux différents aspects/éléments de la situation à améliorer...

MODE D'EMPLOI

1. Connaître avec précision le but recherché à travers l'utilisation de cette technique (sans objectif, il est en effet difficile de construire une matrice cohérente).
2. En fonction de l'objectif poursuivi, identifier les deux catégories d'éléments utiles dans cette analyse.
   Par exemple : pour améliorer l'accueil des visiteurs dans le hall d'entrée d'un siège d'entreprise, croiser les différentes étapes du processus d'accès avec les qualités attendues par l'entreprise et le visiteur.
3. Définir les composantes des deux variables choisies. Elles devront être nécessairement limitées en nombre (ne pas dépasser 5 éléments par variable) et facilement identifiables les unes par rapport aux autres.
4. Construire un tableau mentionnant la première catégorie en ligne et la seconde en colonne. Par exemple pour les différentes séquences de l'accueil (l'arrivée dans le hall, la prise en charge par les hôtesses, le traitement de la demande par le visiteur...), et pour les qualités requises (image de marque, fiabilité de l'information, sécurité...).
5. Rechercher ensuite de manière systématique une ou plusieurs solutions pour chacune des cases de la matrice. Il s'agit évidemment ici de solutions rationnelles et adaptées au problème identifié préalablement.
6. Centrer l'analyse sur les points clefs et approfondir la faisabilité des idées recueillies.
7. Déterminer l'architecture globale de la mise en œuvre des propositions obtenues, en vérifiant la cohérence des idées les unes par rapport aux autres.

CONDITIONS D'EFFICACITÉ

Cette démarche vise d'entrée de jeu une rentabilité élevée des idées recueillies. Pour stimuler l'approche, la construction préalable de la matrice des dysfonctionnements représente un point de départ intéressant...

MATRICE DE LA DECOUVERTE

QUALITES / ETAPES	IMAGE DE MARQUE	FIABILITE DE L'INFORMATION	SECURITE
ARRIVEE DANS LE HALL	• un logo distinctif • .... • .... • .... •	• un plan sous forme de dépliant • .... • .... • .... •	• caméras vidéos • .... • .... • .... • ....
PRISE EN CHARGE PAR LES HOTESSES	• .... • .... • .... • .... •	• .... • .... • .... • .... •	• .... • .... • .... • .... • ....
TRAITEMENT DE LA DEMANDE	• .... • .... • .... • .... •	• .... • .... • .... • .... •	• .... • .... • .... • .... • ....

14	TECHNIQUES ET OUTILS DE DÉTECTION DES PRIORITÉS ET PRISE DE DÉCISION
PRÉVISION ET INNOVATION	TABLEAU OPPORTUNITÉS/MENACES

UTILITÉ

Dans le cadre d'une analyse de l'existant ou de la préparation d'une action complexe (campagne commerciale, changement technologique...), cet outil permet de repérer les éléments agissants ou potentiellement déterminants dans la réussite finale...

MODE D'EMPLOI

1. Recenser dans votre situation les éléments externes susceptibles d'avoir une influence sur l'évolution des événements (état de la demande, besoins des clients ou partenaires, réglementation en vigueur...).
2. Classer en fonction du contexte prévisible les éléments recueillis en opportunités (conditions favorables) ou en menaces (conditions défavorables).
3. Recenser ensuite les éléments internes influents (vos aptitudes, domaines de compétences, niveau de motivation...) en forces et en faiblesses.
4. Repérer les relations existantes entre les différents aspects puis déterminer le degré d'importance de chaque élément (A = essentiel, B = important, C = moyennement important, D = secondaire).
5. Hiérarchiser, à partir de votre pouvoir d'action et de l'analyse des contraintes ou difficultés à agir, les actions à mettre en œuvre.

CONDITIONS D'EFFICACITÉ

Il faut, en première approche, évaluer la situation sans tenir compte de votre capacité à transformer une menace en opportunité, ou un point faible en point fort. Sachez, par ailleurs, éviter les regroupements abusifs ou les formulations abstraites...

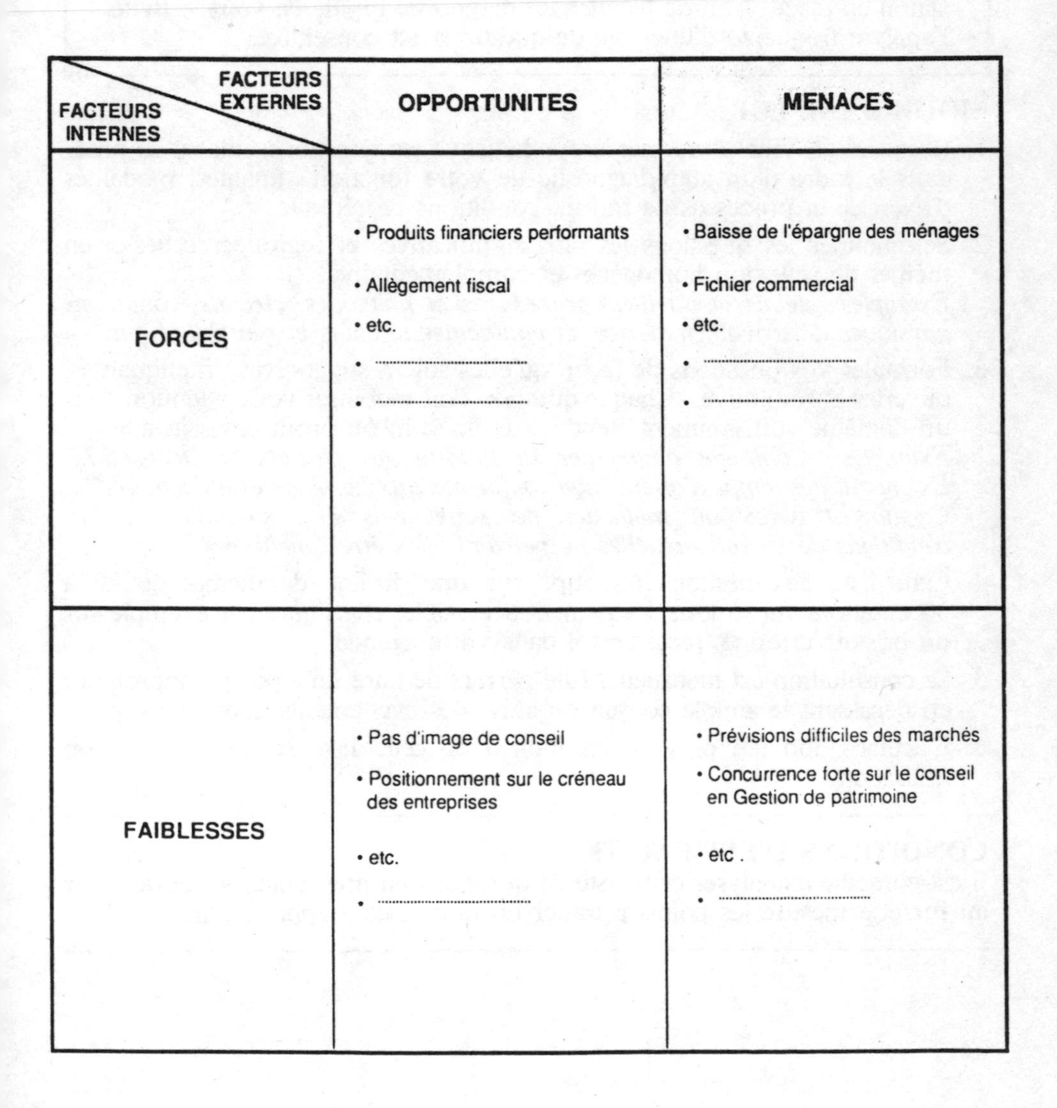

TABLEAU OPPORTUNITES / MENACES
(exemple Agence Bancaire)

FACTEURS INTERNES \ FACTEURS EXTERNES	OPPORTUNITES	MENACES
FORCES	• Produits financiers performants • Allègement fiscal • etc. • .... •	• Baisse de l'épargne des ménages • Fichier commercial • etc. • .... • ....
FAIBLESSES	• Pas d'image de conseil • Positionnement sur le créneau des entreprises • etc. •	• Prévisions difficiles des marchés • Concurrence forte sur le conseil en Gestion de patrimoine • etc . • ....

15	TECHNIQUES ET OUTILS DE DÉTECTION DES PRIORITÉS ET PRISE DE DÉCISION

PRÉVISION ET INNOVATION	LISTE DES QUESTIONS A SE POSER

UTILITÉ

La détection des priorités exige un esprit critique vis-à-vis de l'organisation en place. Afin de faciliter un diagnostic rapide de votre activité, l'analyse fréquente d'une liste de questions est conseillée...

MODE D'EMPLOI

1. Recenser en vrac et de manière exhaustive les questions utiles à se poser dans le cadre d'un auto-diagnostic de votre fonction : finalités, modalités d'exercice et processus de travail, conditions de réussite.
2. Sélectionner les questions les plus significatives et regrouper celles-ci en thèmes de réflexion homogènes et complémentaires.
   Exemples : délais et attentes, procédures et méthodes, circuits, conditions physiques de travail, matériels et équipements, coûts et rentabilité, etc.
3. Formuler vos questions de façon qu'elles soient suggestives, impliquantes, ouvertes et résolutives. Chaque question doit mobiliser votre attention dans un domaine suffisamment étendu, sur un gain ou profit envisageable.
   Exemples : Comment augmenter la fluidité des circuits de décision ?... Existe-t-il des temps d'attente non conformes aux besoins des utilisateurs ?... Certains travaux ou méthodes ne peuvent-ils être simplifiés ?... Les conditions de travail actuelles ne peuvent-elles être améliorées ?...
4. Cette liste de questions regroupe sur une dizaine de thèmes de 20 à 30 questions maximum. Facilement accessible, elle figure par exemple sur un bristol cartonné (recto-verso) dans votre agenda.
5. Sa consultation est mensuelle. Elle permet de faire un « point » approfondi en dépassant le simple constat ou suivi des événements quotidiens.
6. L'actualisation (en plus ou en moins) de cette liste se fait lors de son utilisation.

CONDITIONS D'EFFICACITÉ

Il est conseillé d'analyser cette liste de questions en une seule fois, et de noter au fur et à mesure les points à traiter ou domaines à approfondir...

TECHNIQUES ET OUTILS DE DÉTECTION DES PRIORITÉS ET PRISE DE DÉCISION	16

PRÉVISION ET INNOVATION	L'ARBRE DES CONSÉQUENCES

UTILITÉ

Une décision prise rapidement peut entraîner dans certains cas plus de méfaits que la situation antérieure. Afin de vérifier la pertinence d'une décision délicate à prendre, il est fortement conseillé un recensement préalable des conséquences.

MODE D'EMPLOI

1. Dans un premier temps, signaler spontanément dans plusieurs domaines distincts (organisationnel, motivationnel, commercial...) les conséquences directes produites par la décision. La fiche intitulée « Arbre des causes » présente la démarche proposée.
2. Dans un second temps, valider la vraisemblance des hypothèses formulées, et selon le même procédé noter les effets secondaires produits par chacune d'entre elles (analyser les conséquences en cascade).
3. Compléter au regard de l'arborescence obtenue les relations concernant les différents aspects recensés. Ainsi, il sera ensuite plus facile de repérer par l'accumulation de flèches l'importance respective des points en question.
4. Repérer, à partir de là, les effets positifs et négatifs de l'option étudiée.
5. Apprécier enfin en fonction du rapport de force la pertinence du choix initial en vérifiant, si nécessaire, les moyens de réduire les obstacles identifiés.

CONDITIONS D'EFFICACITÉ

La conception « ouverte » de cet outil permet un recensement riche des idées dès lors que le recensement et l'analyse de celles-ci s'effectuent dans des périodes chronologiquement distinctes. En cas de besoin, utilisez l'outil n° 15 « liste des questions à se poser ».

17	TECHNIQUES ET OUTILS DE DÉTECTION DES PRIORITÉS ET PRISE DE DÉCISION

NÉGOCIATION ET PRISE DE DÉCISION	LE CONTRAT DE DÉLÉGATION

UTILITÉ

Déléguer consiste à confier à un collaborateur, à titre temporaire, la réalisation d'une tâche n'entrant pas habituellement dans sa fonction. Elle vise une optimisation de l'organisation en place...

MODE D'EMPLOI

1. Analyser en fonction de vos objectifs et priorités les modifications à prévoir et le recentrage souhaitable de votre emploi du temps.
2. Recenser les tâches délégables dans les activités répétitives et consommatrices de temps pouvant être prises en charge après formation par vos collaborateurs.
3. Choisir la personne adéquate (motivations et compétences) pour prendre en charge la délégation puis clarifier les modalités pratiques de celle-ci (limites, phases de formation et de mise en application, standards de performance, mécanismes du suivi...).
4. Clarifier l'argumentation et le processus motivationnel de la délégation en fonction des caractéristiques de l'intéressé (besoins, projets,...) et de l'enjeu global...
5. Négocier avec l'intéressé les conditions de la délégation (comportements réciproques, moyens à mettre à disposition, conséquences prévisibles de la délégation sur le fonctionnement de l'unité de travail...).
6. Formaliser par écrit le contrat de délégation et officialiser celui-ci à l'intérieur comme à l'extérieur de l'entité.

CONDITIONS D'EFFICACITÉ

L'art de déléguer est un savant dosage de psychologie et de technique, reposant sur une confiance réciproque. Pour la cimenter, veillez au respect scrupuleux des termes du contrat et acceptez le droit à l'erreur. Cette confiance ne peut se construire que dans un processus adapté et progressif...

CONTRAT DE DELEGATION

FINALITE DE LA DELEGATION

Afin d'assurer une pleine efficacité à la formation , Mr ROBERT Jacques prend en charge à ce jour, le plan de formation de l'unité de travail.

CARACTERISTIQUES ET LIMITES

Les axes de formation seront élaborés fin octobre par le chef de service.

L'élaboration du plan de formation de l'unité respecte la procédure en vigueur.

La transmission du plan à la Direction du Personnel est soumise à l'accord préalable du chef de service.

MODALITES PRATIQUES

L'élaboration du plan s'effectuera conjointement cette année.

Le suivi de la délégation repose sur l'établissement d'un bilan trimestriel écrit ainsi qu'un point sous forme orale à prévoir lors d'une réunion de service.

DATE	12 / 09 / 90

NOM ET SIGNATURE DU DELEGANT	NOM ET SIGNATURE DU DELEGATAIRE
MARTY : chef de service	ROBERT : agent de service

18	TECHNIQUES ET OUTILS DE DÉTECTION DES PRIORITÉS ET PRISE DE DÉCISION

NÉGOCIATION ET PRISE DE DÉCISION	LE CONTRAT DE SERVICE

UTILITÉ

La performance perçue dépend souvent de la qualité de négociation entre client (ou utilisateur) et fournisseur au sein ou hors de l'entreprise. Dans l'optique d'une clarification des « règles du jeu », le contrat de service apporte une valeur ajoutée indéniable...

MODE D'EMPLOI

1. Il est toujours préférable sur des aspects présentant un enjeu économique ou commercial, ou des situations pouvant comporter des risques de conflit ou de dé-motivation, de disposer d'informations fiables sur l'état réel de la situation.
2. Mesurer pendant une période suffisamment significative et selon une fréquence adaptée au besoin de l'enquête la prestation afin de repérer son niveau réel et ses éventuelles variations.
3. Analyser avec l'entité concernée de manière objective les besoins du bénéficiaire de la prestation (le client) ainsi que les contraintes du partenaire fournisseur.
4. A partir des enjeux et des possibilités d'amélioration à court et moyen terme, la négociation s'articule autour de l'engagement formel du fournisseur concernant les garanties proposées (limites et règles du jeu...).
5. L'accord est traduit par écrit sur un contrat de service mentionnant les noms et signatures des contractants, les indicateurs de mesure, le niveau de performance visé et les modalités du suivi prévu à cet effet (Qui mesure ?, avec quelle fréquence ?...).
6. Réactualiser à fréquence régulière les termes du contrat (6/12 mois) ou décider de sa suppression lorsque le processus est sous contrôle.

CONDITIONS D'EFFICACITÉ

L'état d'esprit qui préside à la mise en place d'un tel contrat est déterminant pour la suite des opérations. Eviter de tomber dans une démarche trop formaliste, le résultat obtenu risque alors d'aller à l'inverse des finalités poursuivies.

CONTRAT DE SERVICE

CLIENT : SERVICE ACHAT	FOURNISSEUR : SERVICE COURRIER

BESOINS DU CLIENT

L'envoi impératif du courrier en fin de journée, du fait que pour certains achats, une confirmation par écrit de la commande est exigée.

ENGAGEMENT DU FOURNISSEUR

Compte tenu du passage de l'agent de la Poste vers 17 heures et les impératifs de fonctionnement, nous nous engageons à prendre en charge tout courrier reçu par votre service jusqu'à 16 h 45.

INDICATEURS DE MESURE

Nombre mensuel de lettres non transmises dans la journée à la poste respectant l'horaire butoir de 16 h 45.

CLIENT pour accord	FOURNISSEUR pour accord
NOM : DUFILS	NOM : JEANSON
date : le 9 /10 / 91	date : le 9 /10 / 91
signature :	signature :

19 TECHNIQUES ET OUTILS DE DÉTECTION DES PRIORITÉS ET PRISE DE DÉCISION

NÉGOCIATION ET PRISE DE DÉCISION | **LE CAHIER DES CHARGES**

UTILITÉ

La garantie de concevoir un produit ou un service réellement adapté à la situation exige une formalisation écrite préalable du besoin de l'utilisateur. Ce support permet ensuite d'élaborer des spécifications...

MODE D'EMPLOI

1. Définir le formalisme de la démarche ainsi que le niveau d'analyse du besoin à satisfaire en fonction de la complexité de l'opération à mener et de l'expérience commune des protagonistes.
2. Cerner les caractéristiques précises du besoin à partir des normes de performance attendues par l'utilisateur (en termes de délai, disponibilité, étendue et qualité des prestations fournies « doit être capable de... », etc.).
3. Afin de faciliter l'expression du besoin par l'utilisateur, mettre à sa disposition une liste préétablie des questions à se poser.
4. Prévoir dès réception l'envoi par le fournisseur d'un Accusé de Réception pour clarifier la suite de l'opération.
5. Et surtout ne pas négliger la phase de validation du cahier des charges par les deux partenaires. Elle vise à éclaircir les points obscurs, et à vérifier l'adéquation de la demande au besoin réel.
   L'approche projective permet alors d'identifier les performances obtenues par la prestation définie ainsi que ses éventuels effets pervers (voir fiche sur l'arbre des conséquences).

CONDITIONS D'EFFICACITÉ

Il ne faut pas négliger d'expliquer les buts et l'état d'esprit qui président à sa formalisation écrite. Ce support n'est ni un carcan réglementaire pour le client, ni un « parapluie » pour le fournisseur...

CAHIER DES CHARGES	
SERVICE CONCERNÉ :	DATE :

BESOIN IDENTIFIÉ

Afin d'améliorer la productivité du service sur les tâches administratives, nous souhaiterions une application informatique pour le traitement de ...

RESULTATS ESCOMPTÉS

Compte-tenu de l'incidence commerciale, le temps de réponse devra être inférieur à x secondes, et le gain de temps souhaitable pour chaque transaction égale ou supérieure à...

Ce programme devra être compatible avec...

MODALITES PRATIQUES

Le délai de réalisation souhaitable est le troisième trimestre de l'année du fait de la ré-organisation prévue pour le...

Nous disposons d'une formalisation écrite de la procédure concernée sous la référence n° ....

OBSERVATIONS

Pour plus amples renseignements, contactez Monsieur PASQUIER au 30-24 de préférence le matin de 10 à 12h00.

20 TECHNIQUES ET OUTILS DE DÉTECTION DES PRIORITÉS ET PRISE DE DÉCISION

NÉGOCIATION ET PRISE DE DÉCISION	L'ARGUMENTATION D'UN DOSSIER

UTILITÉ

La capacité à négocier se traduit concrètement dans la présentation du dossier pour décision transmis à un tiers (hiérarchie, client...). L'efficacité de l'argumentation orale se construit dès la formalisation du support écrit...

MODE D'EMPLOI

1. Définir l'argumentation à partir des objectifs visés et en fonction des conceptions du décideur. Celui-ci doit retrouver dans votre argumentation sa propre logique, c'est-à-dire à la fois une réponse à sa demande explicite et à ses attentes implicites.
2. Faire en sorte que le décideur mesure bien l'intérêt des solutions retenues pour l'entreprise (ou pour lui-même) sur les différentes facettes (rentabilité, qualité, facilité et délai de mise en œuvre...).
3. En cas d'arbitrage délicat entre deux solutions, proposer une troisième voie possible : un compromis réaliste est souvent plus utile que le choix d'une solution idéale mais difficile à réaliser...
4. Rédiger le dossier en fonction de l'attente du décideur : d'entrée de jeu, clarifier le problème et l'objectif visé, puis la ou les solution(s) proposée(s), et enfin en annexe l'analyse détaillée expliquant la logique du raisonnement.
5. Etre transparent : ne jouez pas la carte de la manipulation en masquant les faiblesses de votre solution. A l'inverse, sachez mettre en valeur les qualités techniques, organisationnelles, économiques ou sociales de vos options.
6. Créer un effet de surprise en gardant du grain à moudre lors de la présentation orale de vos conclusions (approfondissement d'un argument, astuce dans la mise en scène des idées...).

CONDITIONS D'EFFICACITÉ

Il est important de prévoir dès le début une procédure en deux temps : en premier la remise du dossier pour permettre une imprégnation du sujet et des solutions envisageables, puis une présentation orale afin de compléter l'information et aboutir ainsi à une validation du dossier...

TECHNIQUES ET OUTILS DE DÉTECTION DES PRIORITÉS ET PRISE DE DÉCISION	21

NÉGOCIATION ET PRISE DE DÉCISION	TECHNIQUES DE VOTE

UTILITÉ

Si le fait de choisir exige seul ou à plusieurs une certaine rigueur, il n'est pas pour autant nécessaire d'utiliser des techniques sophistiquées pour atteindre ce but...

MODE D'EMPLOI

1. L'objet d'une décision ne doit souffrir aucune ambiguïté : la qualité de l'énoncé de la question est déterminante dans la qualité du choix.
2. Choisir la méthode en fonction du degré d'urgence et de l'enjeu de la décision à prendre : immédiatement ou plus tard ?... individuelle ou collective ?... Par consensus ou par choix majoritaire ?... A main levée ou à bulletin secret ?...
3. La technique par élimination permet de simplifier la démarche à suivre en évitant de mettre trop vite l'éclairage sur les options les mieux placées pour l'emporter.
4. Dans une décision collective, le vote pondéré à partir d'une liste facilite la sélection des solutions intéressantes : chaque participant accordant 5 points à son premier choix, 3 points à son second, 1 point à son troisième.
5. Le consensus est plus exigeant que le choix à la majorité. Il exige l'accord de tous à la même décision, soit par l'adhésion unanime, soit après un débat contradictoire et l'acceptation du choix majoritaire par le « camp minoritaire ».

CONDITIONS D'EFFICACITÉ

Avant de procéder à la décision, il est déterminant de clarifier la méthode à utiliser ainsi que les modalités de la prise de décision. Les techniques de vote sont des moyens, pas la décision en tant que telle...

22	TECHNIQUES ET OUTILS DE DÉTECTION DES PRIORITÉS ET PRISE DE DÉCISION
NÉGOCIATION ET PRISE DE DÉCISION	L'ANALYSE PAR COMPARAISON

UTILITÉ

Lors d'une prise de décision délicate, vous êtes parfois confronté à la nécessité de choisir rapidement une option parmi plusieurs. Cette technique vise alors à comparer les solutions par paire...

MODE D'EMPLOI

1. Construire un tableau croisé présentant dans le même ordre, en colonnes verticales et lignes horizontales, les différentes options possibles (hachurer les cases inutiles comparant chaque option à elle-même).
2. Définir la grille d'évaluation visant à exprimer le niveau de performance de l'option citée en premier dans la comparaison (par exemple est-ce que A par rapport à B... est nettement supérieur (+ 3), supérieur (+ 2), légèrement supérieur (+ 1), égal (0), légèrement inférieur (– 1)...
3. Remplir la partie supérieure de la grille (la zone hachurée assurant la délimitation) en évaluant toujours l'option notée en verticale par rapport à celle figurant en horizontale.
4. Masquer les notes attribuées, puis poursuivre selon la même démarche avec la seconde partie de la grille.
5. Lorsque l'ensemble des cases sont remplies, retirer le cache pour vérifier si les notes attribuées dans les deux cas de figure (A par rapport à B et B par rapport à A...) sont effectivement identiques ; en cas de désaccord, veillez à rendre homogène votre évaluation.
6. Ne comptabiliser que les points positifs pour apprécier les résultats.

CONDITIONS D'EFFICACITÉ

L'intérêt de cette démarche repose dans le fait de se poser deux fois les mêmes questions (en masquant ses premiers choix), ce qui favorise une validation par autocorrection. L'évaluation peut être réalisée dans l'absolu ou sur un ou plusieurs critères précis (productivité, facilité de mise en œuvre, fiabilité...).

ANALYSE PAR COMPARAISON

OPTIONS \ OPTIONS	A	B	C	TOTAL
SOLUTION A		-2	-1	
SOLUTION B	+2		-2	+2
SOLUTION C	+1	+2		+3

23	TECHNIQUES ET OUTILS DE DÉTECTION DES PRIORITÉS ET PRISE DE DÉCISION
NÉGOCIATION ET PRISE DE DÉCISION	DÉMARCHE MULTI-CRITÈRES

UTILITÉ

Dans un choix « stratégique » où plusieurs options présentent des aptitudes différentes, la prise de décision semble parfois un exercice impossible. La démarche multi-critères propose un processus rationnel visant à réduire au maximum la subjectivité des décisions importantes...

MODE D'EMPLOI

1. Etablir la liste des objectifs ou critères décisifs dans la solution à retenir **(productivité, facilité de mise en place, confort, délai de mise en place...).**
2. Distinguer dans cette liste les critères essentiels (ne pas dépasser 4 ou 5 critères). Pondérer si nécessaire le poids respectif de chacun d'eux en leur accordant un degré d'importance différent (principe des coefficients : 1, 2, 3...).
3. Construire un tableau croisé avec en verticale les solutions en concurrence, et en horizontale les critères de choix retenus pour la prise de décision.
4. Comparer la valeur respective de chaque solution sur l'ensemble des critères retenus (analyse horizontale). Cette confrontation doit se faire à partir d'une échelle de valeur : **5 = très intéressante, 3 = intéressante, 1 = moyennement intéressante, 0 = peu ou pas intéressante...**, en gardant à l'esprit le niveau de performance attendu sur chaque critère. C'est un besoin relatif à l'objectif visé, pas une performance appréciée dans l'absolu.
5. Consolider les résultats globaux obtenus par chaque solution en prenant en compte l'incidence des coefficients, et vérifier ensuite la cohérence des scores enregistrés.

CONDITIONS D'EFFICACITÉ

Dans l'utilisation de cette technique, il est essentiel de ne pas tomber dans le piège de la comparaison (classement vertical immédiat pour chacun des critères). L'efficacité de cette méthode dépend de la pertinence et de la pesée des critères retenus...

DEMARCHE MULTI-CRITERES

CRITERES / SOLUTIONS	Productivité (X3)	Adaptabilité (X2)	Facilité de mise en place (X1)	Sécurité (X1)	TOTAUX
A	3x3	1x2	1x1	3x1	15
B	5x3	3x2	5x1	3x1	29
C	3x3	5x2	3x1	3x1	25
D	1x3	3x2	3x1	5x1	17

24	TECHNIQUES ET OUTILS DE DÉTECTION DES PRIORITÉS ET PRISE DE DÉCISION
NÉGOCIATION ET PRISE DE DÉCISION	VALIDATION D'UNE DÉCISION

UTILITÉ

Infirmer ou confirmer une décision difficile à gérer par la prise en compte des éléments favorables ou défavorables à sa mise en œuvre effective. Cet outil permet par ailleurs de préparer l'argumentation d'une décision délicate à négocier...

MODE D'EMPLOI

1. Recenser les critères à prendre en considération dans la validation de la solution (aspects techniques, économiques, psychologiques...).
2. Classer ces éléments en frein (−) et moteur (+), et subdiviser les aspects présentant plusieurs facettes influentes dans la prise de décision : gain de temps se déclinant par exemple en productivité et amélioration des conditions de travail.
3. Hiérarchiser le poids respectif des différents freins (− 4 = très important, − 3 = important, − 2 = moyennement important, − 1 = peu ou pas important) ainsi que des moteurs selon la même procédure.
4. Pour les freins majeurs, analyser les moyens ou mesures d'accompagnement permettant de réduire l'impact négatif prévisible (information/formation par rapport à résistance au changement...).
5. En dernière instance, repérer les relations entre les différents freins et moteurs (coût et retour d'investissement par exemple...).
6. En fonction du rapport de force obtenu, aboutir à la décision définitive et élaborer le plan de mise en œuvre : étapes, conditions de réussite...

CONDITIONS D'EFFICACITÉ

Il faut savoir peser l'incidence des éléments pris en considération et prendre en compte les interactions des aspects les uns par rapport aux autres.
Dans le cas d'une analyse complexe, il est préférable de réaliser préalablement un arbre des conséquences...

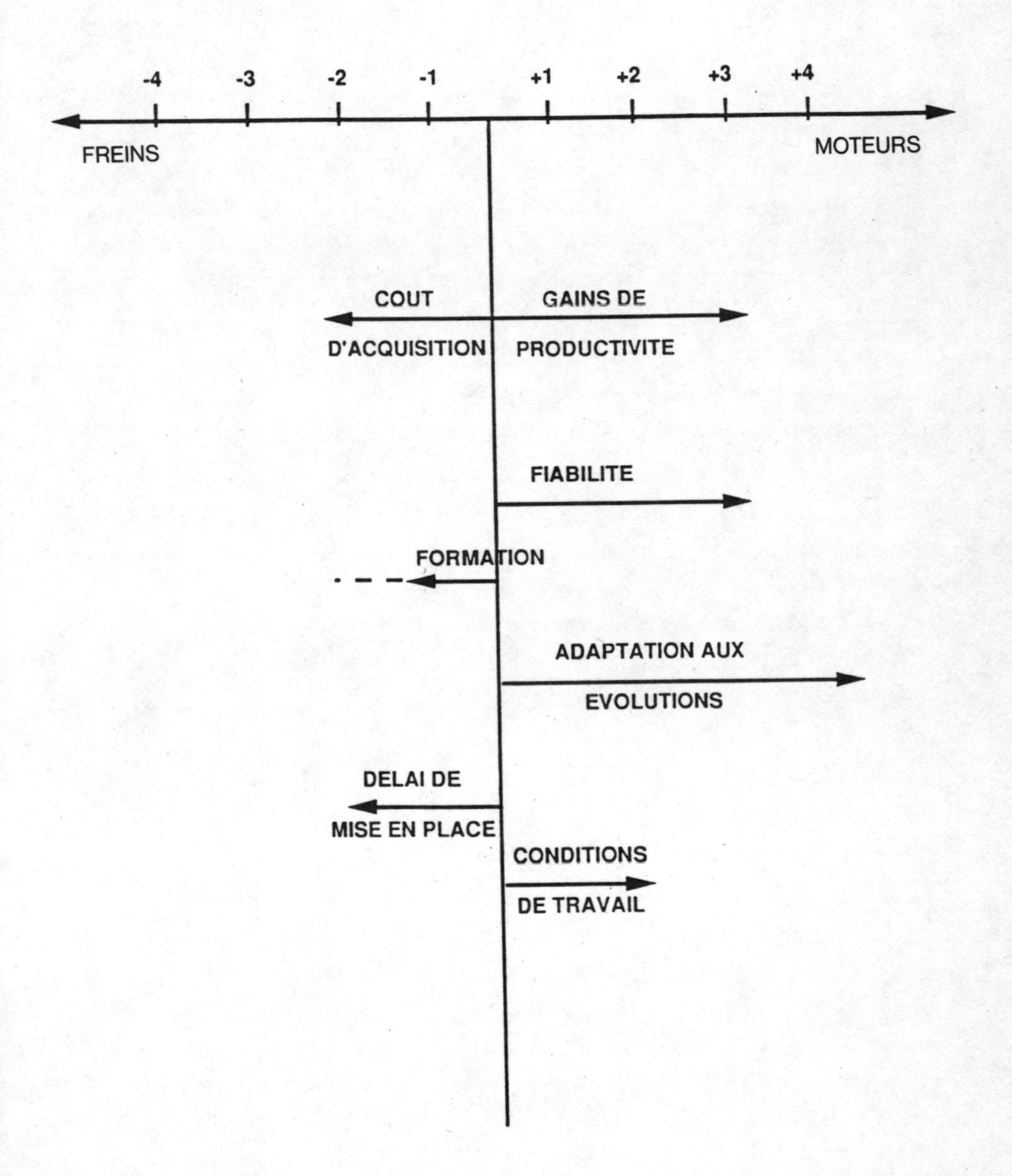
UTILISATION D'UN TRAITEMENT DE TEXTE
-4
-3
-2
-1
+1
+2
+3
+4
FREINS
MOTEURS
COUT
D'ACQUISITION
GAINS DE
PRODUCTIVITE
FIABILITE
FORMATION
ADAPTATION AUX
EVOLUTIONS
DELAI DE
MISE EN PLACE
CONDITIONS
DE TRAVAIL

DEUXIÈME PARTIE

COORDINATION ET PLANIFICATION

La clef de voûte de toute démarche d'ORGANISATION PERSONNELLE repose en premier lieu sur la capacité à définir ses propres rôles et priorités au sein d'un collectif de travail.

La gestion du temps de chacun ne s'arrête pas où commence celle des autres. Il faut assurer une harmonie collective par une répartition des tâches assurant à la fois rigueur et flexibilité. De la performance de tous dépend en fait l'efficacité de chacun...

La réactivité ne signifie pas improvisation permanente. Il faut en cela considérer la formalisation écrite des procédures de travail comme un moyen d'approfondir et/ou d'optimiser la cohérence de l'organisation en place.

Par ailleurs, la coordination représente un domaine privilégié de ce que l'on appelle « l'Entreprise Fantôme », c'est-à-dire le temps investi à gérer les anomalies, erreurs, produits non conformes, réclamations...

Au-delà des rôles et fonctions, des systèmes et moyens de la coordination, la planification des tâches joue un rôle essentiel dans le respect des engagements pris et la fluidité de la charge de travail.

Les outils et techniques proposés dans cette deuxième partie intitulée COORDINATION ET PLANIFICATION sont au service des dix idées-forces suivantes :

1. **ACTUALISER SA MISSION ET SES PRIORITÉS...**
   Toute offre ne peut s'analyser qu'en fonction de la demande. A partir des enjeux et des évolutions, des attentes exprimées sur les produits et les services attendus par le poste de travail, il devient possible d'identifier la valeur ajoutée de l'activité...
2. **SE POSITIONNER CLAIREMENT DANS SON ENVIRONNEMENT PROFESSIONNEL...**
   L'efficacité réside souvent dans la clarification des rôles et fonctions de chacun, l'existence de règles et de normes communes, une connaissance réciproque des besoins et contraintes...
3. **EVALUER LA CHARGE DE TRAVAIL DANS LE CADRE D'UNE PROCÉDURE RÉGULIÈRE...**
   Il est fréquent que le recours à cette démarche s'effectue en période de crise, lorsqu'il y a « le feu dans la maison ». Dans ces conditions les paramètres habituels sont faussés et il devient difficile d'obtenir une évaluation satisfaisante...

4. **PRÉVENIR ET ORGANISER LES SITUATIONS PLUTÔT QUE LES SUBIR...**
La capacité d'adaptation relève de la maîtrise des événements. Face aux activités dont la répétition justifie l'investissement, il est utile de clarifier la procédure de travail afin de limiter les pertes de temps et les risques d'erreurs...

5. **PRÉPARER AVEC SOIN CHAQUE ACTION...**
L'Époque actuelle trouve dans la vitesse d'exécution une des manifestations reconnues de l'efficacité. Tout devient urgence... Cette situation provoque comme conséquence préjudiciable une augmentation des défaillances liée à un manque de préparation préalable...

6. **EVALUER LES ACTIONS A RÉALISER EN FONCTION DU DEGRÉ D'IMPORTANCE...**
Il est déterminant d'ancrer le système de priorités dans les pratiques quotidiennes. Chacun de nous connaît la difficulté qui consiste à transformer ses intentions en actes. Notamment lorsque la pression de l'actualité (ou de l'environnement) milite pour aller dans le sens inverse...

7. **PRIVILÉGIER LES PRATIQUES COOPÉRATIVES...**
L'efficacité sera d'autant plus facile à atteindre dès lors que la synergie l'emporte sur l'affrontement ou la méconnaissance des intérêts de son environnement professionnel : hiérarchique, collaborateurs, clients...

8. **AVOIR UNE VISION STIMULANTE DE LA PLANIFICATION...**
Au contraire de la contrainte, la planification permet d'accroître la disponibilité physique et mentale. Elle insuffle à toute l'organisation une flexibilité permanente, et ne doit pas être assimilée à un carcan dans lequel on s'engage pieds et poings liés...

9. **INVESTIR LE TEMPS EN FONCTION DU BESOIN RÉEL...**
Notre appréhension du temps est subjective... Chacun de nous sait bien que lorsqu'il n'aime pas effectuer une tâche, le temps de traitement est toujours perçu comme trop long. L'inverse est tout aussi vrai...

10. **FAIRE L'APPRENTISSAGE DE LA FLEXIBILITÉ...**
De la planification rigide à la programmation souple, la flexibilité s'acquiert dans la capacité à concilier rigueur et souplesse. Tel le roseau, il faut savoir subir les coups de vent et retrouver très vite sa position initiale...

BIBLIOGRAPHIE SUR LE THÈME	RÉPARTITION ET ORGANISATION	COORDINATION INTERNE OU EXTERNE	PLANIFICATION ET PROGRAMMATION
• OLLIVIER D. : *La Bataille de l'Efficacité personnelle,* Editions d'Organisation, Paris, 1990	×	×	×
• LEMAITRE P., MADERS H.P. : *Améliorer l'Organisation administrative,* Editions d'Organisation, 1989	×	×	
• NICOLAS P. : *Le temps c'est de l'argent... et du plaisir,* Inter-Edition, Paris, 1981		×	×
• DUVAL Claude : *L'Efficacité personnelle,* Editions d'Organisation, Paris, 1978	×	×	×
• GORDON Thomas : *Cadres et Dirigeants efficaces,* Edition Belfond, Paris, 1980		×	
• SIMONNET Jean : *Organisation personnelle du Travail,* Editions d'Organisation, 1985			×
• CRUELLAS P. et BENAYOUN R. : *Le Temps mode d'emploi,* E.M.E., Paris, 1988		×	×
• HAUWELL Claude : *Organiser et simplifier le travail administratif (dans son environnement informatique et bureautique),* E.M.E., Paris	×		
• de MENTHON S. : *Mieux utiliser le téléphone,* Editions d'Organisation, Paris, 1985		×	
• LAYOLLE G. : *La Conduite d'entretiens,* Editions d'Organisation, Paris, 1982		×	

25	TECHNIQUES ET OUTILS DE COORDINATION ET DE PLANIFICATION

RÉPARTITION ET ORGANISATION	DÉFINITION DE L'EMPLOI

UTILITÉ

Du fait de l'accélération du changement, un référentiel décrivant les capacités requises pour maîtriser chaque « métier » devient un outil indispensable. Il exige de définir le niveau de qualification nécessaire et suffisant pour satisfaire les prestations attendues par l'environnement professionnel...

MODE D'EMPLOI

1. Identifier à partir d'un cadre de référence adapté aux spécificités de l'emploi, les différentes finalités de celui-ci (à quoi sert l'emploi ?...).
2. Formuler la compétence requise (en terme de niveau de performance visé) à partir des besoins et évolutions du secteur d'activité et des décisions de l'Entreprise (exemples pour un directeur commercial : capacités à traduire sur son point de vente en actions concrètes les orientations de la Direction commerciale, ou bien encore... Respect du contrat de développement dans le cadre d'une maîtrise des risques et des coûts...).
3. Raisonner à partir de la loi de Pareto : ne prendre en considération que les 20 % de compétences requises représentant 80 % de la valeur ajoutée de l'emploi.
4. Choisir des formulations exprimant réellement la finalité poursuivie par les actions ou moyens à mettre en œuvre ; cette fiche d'emploi tout en étant opérante doit en effet subir le moins souvent l'obligation d'une mise à jour.
5. Utiliser des formulations concernant les capacités requises par l'emploi (le métier) de manière générale (gommer les aspects spécifiques, les données chiffrées...).

CONDITIONS D'EFFICACITÉ

La difficulté consiste ici à fixer le bon niveau de maîtrise attendu dans le métier (être capable de...) en repérant l'impact du savoir, savoir-faire ou savoir-être...

SECRÉTAIRE D'UNITÉ

CONNAISSANCES

Connaissance générale de l'entreprise et de son environnement.
Connaissance des circuits administratifs nécessaire à son activité.
Pratique courante des techniques de secrétariat (sténo, bureautique, classement).
Bonne connaissance des techniques de communication écrite et orale.

TECHNICITÉ-EXPERTISE

Assure la centralisation du courrier arrivée et départ de son unité.
Gère les échéanciers et les plannings.
Assure le classement et la mise à jour des dossiers.

CONCEPTION-CRÉATIVITÉ

Optimise son poste de travail (auto-organisation) et les outils mis à disposition.
Est ouvert(e) et réactif(ve) aux évolutions de son métier.
Propose toute action d'amélioration.

AUTONOMIE

Optimise son temps de travail.
Gère les imprimés et fournitures de l'unité.

DÉLÉGATION

Participe à la circulation de l'information au sein de l'unité.
Accueille et dirige les informations/communications externes.
Utilise la délégation reçue.

RELATIONS

Accueil externe et renvoi sur compétences.
Travaille en duo avec le responsable et le service (savoir écouter et rendre compte).

ENGAGEMENT PERSONNEL

Sens de la discrétion.
Donne une image dynamique de l'unité par ses attitudes et son comportement.
Adhère aux projets et actions de l'entreprise.
Participe activement à la réalisation des objectifs quantitatifs et qualitatifs de son unité.

26	TECHNIQUES ET OUTILS DE COORDINATION ET DE PLANIFICATION

RÉPARTITION ET ORGANISATION	DÉFINITION DE FONCTION

UTILITÉ

Elle permet de situer le pouvoir d'action du poste dans l'organigramme en place, les activités significatives et le profil attendu de son titulaire. Elle situe la marge d'autonomie et les contraintes imposées par l'organisation collective.
Ce cadre de référence aussi appelé description de poste définit ce qui est commun à la fonction, hors des spécificités locales...

MODE D'EMPLOI

1. Situer le poste de travail par rapport aux autres postes de travail (verticalement et horizontalement). La définition de fonction s'appuie sur l'organigramme et le tableau de répartition des tâches et des rôles au sein de l'unité de travail.
2. Définir la mission générale du poste, c'est-à-dire les finalités poursuivies (les buts) et les spécificités (particularités essentielles).
3. Lister les rôles et activités significatifs en terme de prestations attendues. Retenir une formulation active telle que « assurer l'actualisation des compétences de ses collaborateurs » plutôt que « formation et information des collaborateurs ».
4. Présenter les principaux traits du profil requis (aptitudes, capacités...) permettant de prendre en charge la fonction concernée.

CONDITIONS D'EFFICACITÉ

Son actualisation ne répond à aucune périodicité précise. Il s'agit d'une définition stable et constante. Elle n'évolue que par une décision institutionnelle, c'est-à-dire en fonction des aménagements de l'organigramme...

DÉFINITION DE FONCTION

m.a.j. : octobre 1989.

DÉNOMINATION : *DIRECTEUR DES AGENCES* CODE :

COEFFICIENT :

UNITÉ : DIRECTION :

COLLABORATEURS HIÉRARCHIQUEMENT RATTACHÉS

L'ensemble des directeurs d'agence et de la force de vente de sa région.

RESPONSABLE HIÉRARCHIQUEMENT DIRECT

Le Directeur des Agences et de la Distribution.

MISSION GÉNÉRALE

Déterminer la stratégie et coordonner le développement commercial de la région ; assurer le management général des collaborateurs et des moyens ; assurer la représentation extérieure de l'entreprise.

ACTIVITÉS SIGNIFICATIVES

- *Analyse du marché.*
- *Elaboration et conception du Plan d'Action commerciale à moyen terme.*
- *Définition des stratégies de vente qui en découlent.*
- *Animation et motivation des différentes unités de développement.*
- *Organisation et coordination des moyens technologiques et humains.*
- *Valorisation des compétences de ses collaborateurs.*
- ......
- ......

PROFIL

Connaissance approfondie de l'entreprise (fonctionnement, politique...).
Discernement, aptitude à la prévision.
Sens marqué de l'animation et du contact.
......

27	TECHNIQUES ET OUTILS DE COORDINATION ET DE PLANIFICATION
RÉPARTITION ET ORGANISATION	MISSION ACTUELLE

UTILITÉ

Au regard des enjeux et contraintes, cette démarche met en relief pour une période déterminée la plus-value attendue du titulaire d'un poste de travail. La mission actuelle est au titulaire d'une fonction ce que sont les « orientations politiques » pour l'Entreprise...

MODE D'EMPLOI

1. Effectuer en premier lieu le diagnostic de l'existant, c'est-à-dire les réussites et les difficultés rencontrées dans l'organisation personnelle, lors de la période précédente (6 mois au minimum).
2. De la même manière, analyser les forces et les faiblesses de l'unité de travail auquel vous appartenez, et les relations pouvant exister entre ces constats et les conclusions liés au profil personnel.
3. Identifier dans quels domaines se situent les évolutions futures de l'unité (attentes de la hiérarchie, transformations de l'environnement...) et les conséquences que celles-ci entraînent sur la mission du poste concerné.
4. Mettre en relation les éléments recensés dans les trois approches et hiérarchiser l'importance de ceux-ci en fonction des objectifs de l'unité.
5. Formuler de manière synthétique les buts prioritaires (pas les activités ou tâches) de votre fonction pour la période à venir.
6. Déterminer vos objectifs et votre emploi du temps théorique à partir de la mission actuelle. De la même manière, ce support permet de faire périodiquement le point sur la cohérence de l'organisation en place et sur l'évolution de la mission globale.

CONDITIONS D'EFFICACITÉ

La mission actuelle clarifie les priorités d'une fonction. Approche dynamique et évolutive, elle suppose une actualisation tous les 6/12 mois, ou dès qu'une modification profonde de l'environnement l'exige....

MISSION ACTUELLE

MISSION PERSONNALISEE		
	SPECIFICITE DU ROLE A JOUER	**A quoi je sers ?... Quels sont les aspects essentiels de mon rôle?... Où se situe réellement ma plus-value ?... Que se passerait-il si mon poste était supprimé ?...**
	DIAGNOSTIC DES BESOINS DE L'UNITE ET DES PARTENAIRES	**Quels sont les points faibles de mon organisation personnelle et de ma structure ?... Dans quels domaines dois-je canaliser mon énergie pour atteindre les objectifs qui sont fixés ?... Sur quoi serais-je évalué ?...**
	PROSPECTIVE DES BESOINS PREVISIBLES DE L'UNITE ET DES PARTENAIRES	**Quels sont mes propres besoins ?... Dans quels domaines se situent les évolutions futures de l'unité ?...** **Quels sont actuellement les attentes de mes partenaires auxquelles je n'apporte qu'une réponse partielle ?...**

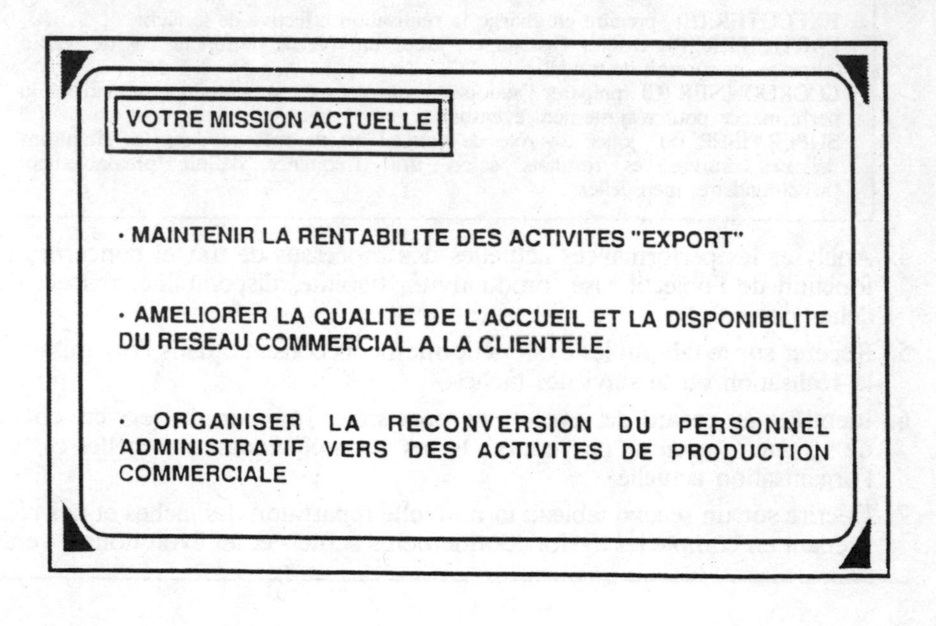

Extrait de l'ouvrage : *La bataille de l'efficacité personnelle,* de **Daniel Ollivier,** Editions d'organisation, Paris, 1990.

28 TECHNIQUES ET OUTILS DE COORDINATION ET DE PLANIFICATION

RÉPARTITION ET ORGANISATION	TABLEAU DE RÉPARTITION DES TACHES ET DES RÔLES

UTILITÉ

Il permet de clarifier le QUI FAIT QUOI au sein d'une unité de travail, c'est-à-dire définir la répartition des tâches au sein d'une équipe et les niveaux de responsabilités des différentes personnes dans l'exercice de leurs fonctions respectives.

MODE D'EMPLOI

1. Définir l'objectif recherché par cette approche (gains de productivité, circuit de décision ou coordination interne, etc.). L'objectif conditionne le niveau d'analyse visé et la matrice à construire.
2. Recenser à l'aide d'un auto-pointage les tâches accomplies par chaque membre de l'équipe et estimer le temps moyen consacré à chacune d'elle. En fonction de l'objectif, le nombre des tâches oscille de 30/50 (coordination/responsabilisation) à 60/100 (productivité).
3. Décrire sur un tableau à double entrée (tâches/personnes) l'organisation actuelle de l'entité en précisant les niveaux de responsabilités des intéressés tâche par tâche.

> EXÉCUTER (E) : prendre en charge la réalisation effective de la tâche.
> PARTICIPER (P) : assurer l'assistance, jouer un rôle de renfort en cas de besoin (absence ou surcroît de travail).
> COORDONNER (C) : préparer l'action et contrôler avec un certain systématisme la performance pour réajustement éventuel.
> SUPERVISER (S) : jouer un rôle de conseil ou de recours dans les situations délicates, suivre les résultats selon une fréquence définie préalablement (hebdomadaire, mensuelle).

4. Analyser les performances actuelles des processus de travail concernés en fonction de l'objectif visé (productivité, fiabilité, disponibilité, respect des délais prévus...).
5. Repérer sur le tableau les dysfonctionnements constatés dans l'organisation, la réalisation ou le suivi des tâches.
6. Identifier au regard des évolutions prévisibles (mission du service, charge de travail, projets en cours...) les conséquences de celles-ci sur l'organisation actuelle.
7. Décrire sur un second tableau la nouvelle répartition des tâches et des rôles prenant en compte les dysfonctionnements actuels et les évolutions à venir.

CONDITIONS D'EFFICACITÉ
Cette analyse peut être envisagée pour clarifier les relations que doit entretenir une personne avec son environnement professionnel. Si l'utilisation vise l'ensemble des relations au sein d'un collectif de travail, il est essentiel d'associer l'ensemble des acteurs dans l'élaboration de la démarche...

TABLEAU DE RÉPARTITION DES TACHES DU SERVICE COURRIER

PERSONNES / TACHES	DUFILS Responsable	GORET Adjoint	DE TOLEDO Secrétaire	FABRE Agent Administr.	GENOUX Agent Administr.
- Réception du courrier			E		
- Traitement des demandes écrites		C		E	E
- Gestion des réclamations	S	E		P	
- Appels téléphoniques			E		
- Recherches documentaires			P		E
- Classement/archivage		S	E	E	E
- Suivi des opérations informatiques				P	E
- Etc.					
– ...					

29	TECHNIQUES ET OUTILS DE COORDINATION ET DE PLANIFICATION
RÉPARTITION ET ORGANISATION	**TABLEAU DE RÉPARTITION DE LA CHARGE DE TRAVAIL**

UTILITÉ

Face aux aléas quotidiens, la connaissance des principaux pôles d'activité des membres d'une équipe facilite le remplacement d'un collaborateur ou la gestion d'un surcroît de travail...

MODE D'EMPLOI

1. Mener une opération d'auto-pointage afin de connaître les différentes tâches effectuées et une estimation du temps consacrée à chacune d'elle.
2. Regrouper de manière homogène les tâches par fonction ou domaine d'activité (par exemple : coordination interne, projets en cours, maintenance informatique, secrétariat, accueil des visiteurs...).
3. Créer un tableau à double entrée indiquant en colonne les membres de l'équipe, en ligne les domaines d'activité, au croisement des deux les temps consacrés à la journée ou à la semaine (selon la répétitivité des opérations).
4. Analyser l'équilibre de la charge de travail et repérer les points critiques de la situation actuelle (concentration, dilution...) et les possibilités offertes par les capacités de l'équipe (état des compétences, potentiel disponible...).
5. Définir la répartition cible et l'utiliser en cas de turbulence prolongée pour repenser la gestion de la charge de travail.

CONDITIONS D'EFFICACITÉ

Un tel outil est particulièrement utile dans les unités à fort effectif (minimum 10 personnes) présentant des fonctions à la fois autonomes et spécialisées. Une réactualisation fréquente s'impose s'il s'agit notamment d'une gestion par projets...

TABLEAU DE REPARTITION DE LA CHARGE DE TRAVAIL (SERVICE INFORMATIQUE)

PERSONNES / ACTIVITÉS	BONIFACE	RUFFIO	CANCE	BERTRAND	JUSTIN	REPARTITION GLOBALE
COORDINATION INTERNE	30 %	15 %	5 %	5 %	5 %	12 %
PROJETS EN COURS	40 %	60 %	40 %	40 %	50 %	46 %
MAINTENANCE INFORMATIQUE	0 %	15 %	30 %	30 %	25 %	20 %
SECRETARIAT	5%	0 %	2 %	0 %	2 %	1,8 %
ACCUEIL DES VISITEURS ET GESTION DES DEMANDES	5 %	0%	15 %	0 %	3 %	4,6 %
DOCUMENTATION DES PROJETS	15 %	5 %	5 %	15 %	5 %	9 %
PERFECTIONNEMENT PERSONNEL	5 %	5 %	3 %	10 %	10 %	6,6 %
TOTAL	100 %	100 %	100 %	100 %	100 %	100 %

30	TECHNIQUES ET OUTILS DE COORDINATION ET DE PLANIFICATION
RÉPARTITION ET ORGANISATION	**DESCRIPTION D'UN PROCESSUS OU D'UN CIRCUIT**

UTILITÉ
L'homogénéisation des pratiques entre personnes effectuant un même travail nécessite souvent la description écrite du processus de travail. Ce support est à la fois un outil de communication et d'optimisation...

MODE D'EMPLOI

1. Lister en vrac les différentes opérations effectuées dans le but de réaliser un produit ou service (réception, tri, envoi, recherche, contrôle...).
2. Identifier les différents intervenants dans le processus (fournisseur, service réception, service achat, donneur ordre, comptabilité...).
3. Construire un tableau à double entrée, indiquant en colonne les intervenants et en ligne les opérations dans l'ordre chronologique : ainsi nous pouvons visualiser le processus (ou circuit) matérialisant les pratiques actuelles.
4. Ce support doit favoriser l'analyse des points critiques, la clarification des règles de fonctionnement entre les différents intervenants, la refonte complète ou partielle du mode opératoire.
5. La description obtenue permet par ailleurs de choisir les indicateurs de suivi assurant la mise sous contrôle du processus.

CONDITIONS D'EFFICACITÉ

Pour une efficacité maximale, il est préférable de construire le processus à partir des pratiques réelles (interviews des opérateurs concernés) plutôt qu'à partir de la formalisation des procédures en vigueur...

PROCESSUS FACTURATION

(FRAGMENT)

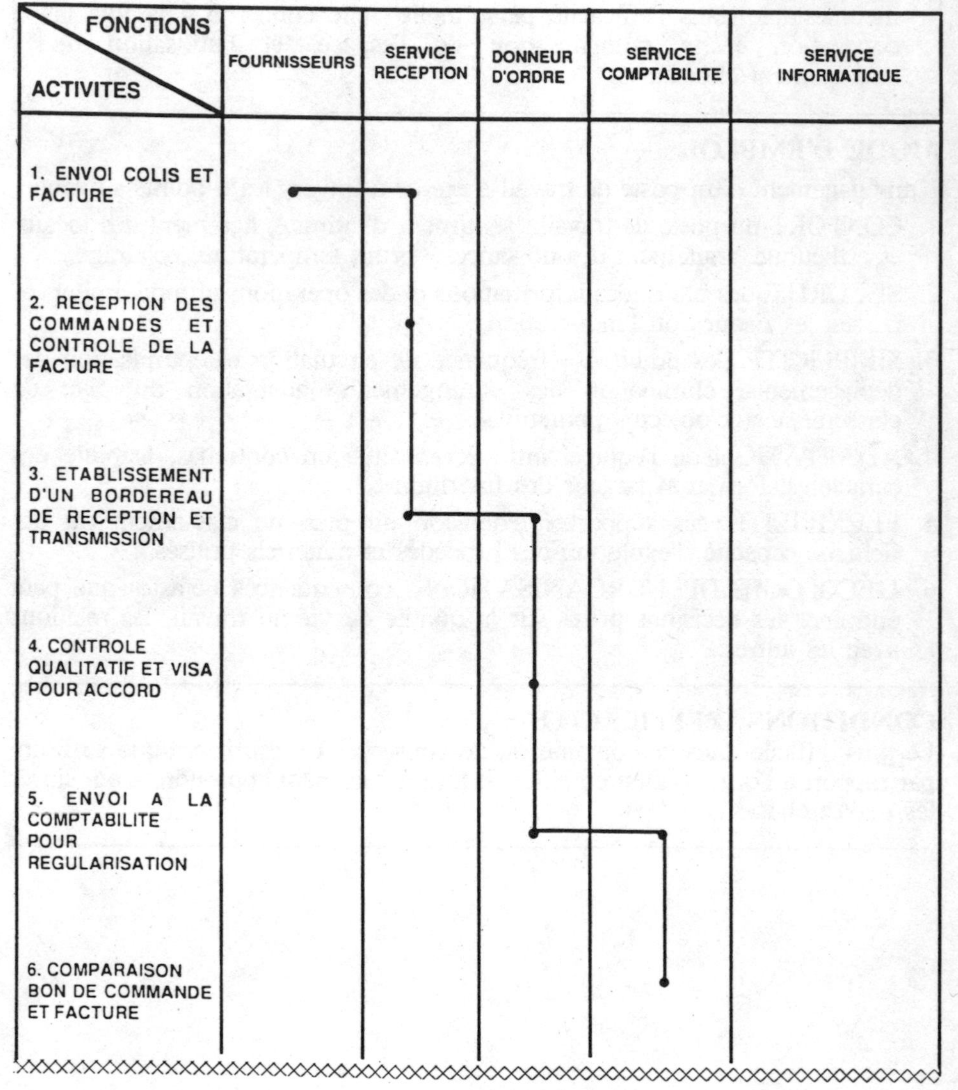

31	TECHNIQUES ET OUTILS DE COORDINATION ET DE PLANIFICATION
RÉPARTITION ET ORGANISATION	**AMÉNAGEMENT DU POSTE DE TRAVAIL**

UTILITÉ

L'organisation physique du poste de travail joue de fait un rôle incontestable dans l'efficacité personnelle : elle concerne à la fois la conception et la rationalisation de l'espace, et l'utilisation de l'équipement choisi...

MODE D'EMPLOI

L'aménagement d'un poste de travail s'exerce à travers les 6 points suivants :

1. CONFORT du poste de travail : sentiment d'intimité, agrément des locaux et esthétique, traitement des nuisances : bruit, température, éclairage...
2. SÉCURITÉ des biens, des informations et des opérations afin de limiter les pertes, les risques ou l'indiscrétion...
3. SIMPLICITÉ des pratiques : fréquence de circulation et optimisation des déplacements, élimination des dérangements, adaptation du plan de classement aux objectifs poursuivis...
4. ADAPTATION de l'équipement : écran situé en contrebas, lisibilité des caractères, format et largeur des interlignes...
5. FLEXIBILITÉ des supports : extension du plan de classement ou des fichiers, capacité d'évolution des procédés et matériels utilisés...
6. L'ÉCOLOGIE DE L'ORGANISATION : conséquences néfastes que peut entraîner les décisions prises sur la qualité de vie au travail, les relations avec les autres...

CONDITIONS D'EFFICACITÉ

Le plus difficile dans ce domaine est de conserver un esprit critique suffisant par rapport à l'organisation en place. Il faut notamment apprendre à améliorer les petites choses...

TECHNIQUES ET OUTILS DE COORDINATION ET DE PLANIFICATION		32
RÉPARTITION ET ORGANISATION	**ÉLABORATION D'UNE PROCÉDURE**	

UTILITÉ
Dans l'optique d'une recherche d'optimisation (tâche répétitive) ou d'homogénéisation (tâche menée en association avec une tierce personne), se doter d'un cadre de référence commun est un investissement rentable...

MODE D'EMPLOI

1. Associer dans cette démarche les collaborateurs directement impliqués assure l'adhésion et le pragmatisme et évite aussi le risque du perfectionnisme.
2. Mettre en évidence les tenants et aboutissants du processus de travail concerné (voir fiche description d'un processus de travail), l'enchaînement logique des phases et le rôle de chacun permet de situer les caractéristiques de l'action à mettre en œuvre.
3. Cerner les implications prévisibles du changement (les freins et les moteurs) et identifier à partir de là les étapes (action/délai) assurant une mise en place cohérente.
4. Vérifier la cohérence du dispositif choisi auprès des utilisateurs ou clients situés en aval.
5. Sachant qu'une procédure est le résultat d'un ensemble d'essais et de retouches successifs, la formalisation sous forme de guide opératoire ne doit intervenir que suite à une opération-test suffisamment probante.

CONDITIONS D'EFFICACITÉ

Toute procédure est condamnée à être périmée. L'accélération du changement fait que la durée entre deux modifications tend à diminuer. Une évaluation périodique doit vérifier la pertinence des procédures existantes...

33 TECHNIQUES ET OUTILS DE COORDINATION ET DE PLANIFICATION

COORDINATION INTERNE ET EXTERNE	TRAITEMENT DU COURRIER DÉPART

UTILITÉ

La qualité d'une organisation se mesure souvent à la fiabilité du courrier (délai, contenu...). Il faut à la fois pouvoir jouer un rôle de supervision et ne pas être un goulet d'étranglement lors de l'envoi du courrier départ...

MODE D'EMPLOI

1. Avant de rédiger votre courrier par écrit, vérifier s'il n'est pas préférable de choisir un autre mode de communication plus rapide et moins coûteux (téléphone, télécopie, messagerie électronique...).
2. Pour des situations répétitives, disposer de formulaires-réponses types qui facilitent la communication écrite à faire aux destinataires. Rédiger en style télégraphique à chaque fois que la situation l'autorise.
3. Dans les situations proposant un enjeu certain, conserver comme élément de preuve la photocopie du document en question.
4. Décentraliser au maximum la signature des documents adressés au client et à la hiérarchie. Cette responsabilisation effective favorise une meilleure qualité de la prestation fournie, et facilite la coordination ultérieure...
5. Afin de garder en mémoire la nature et la date du courrier adressé aux différents partenaires, centraliser l'information sur un support prévu à cette intention (les documents sont conservés dans les dossiers ad hoc).

CONDITIONS D'EFFICACITÉ

Attention au perfectionnisme. Raisonner en fonction du besoin réel du destinataire (délai, présentation) et non en fonction de votre propre conception des choses...

TECHNIQUES ET OUTILS DE COORDINATION ET DE PLANIFICATION — 34

COORDINATION INTERNE ET EXTERNE | **TRAITEMENT DU COURRIER ARRIVÉE**

UTILITÉ

Dans cette activité répétitive, un temps considérable est investi sans que le retour d'investissement se justifie pleinement. Inutile de dire qu'il s'agit là d'une piste d'optimisation rentable...

MODE D'EMPLOI

1. Consulter uniquement le courrier qui vous concerne directement. Il est de loin préférable de confier la tâche du dispatching et de pré-analyse à un collaborateur qui vous informera ensuite en quelques minutes des éléments à porter à votre connaissance.
2. Classer ou faire classer les documents selon une procédure unique et permanente (par nature d'information ou niveaux de priorité...), et assurer de préférence en une seule fois l'analyse du courrier reçu.
3. Utiliser un dictaphone à l'attention de votre secrétariat pour les consignes complexes ou noter immédiatement sur le document la procédure à suivre.
4. Jeter immédiatement à la poubelle toute information inutile ou tout document à accès facile et utilisation rare.
5. Dès lors qu'il ne s'agit pas d'un traitement à effectuer dans la journée, clarifier l'échéance de réalisation (date-butoir).
6. A fréquence régulière, analyser à travers ses pratiques les caractéristiques de son style d'organisation et sa conception de la délégation. Ne dit-on pas que l'information c'est le pouvoir...

CONDITIONS D'EFFICACITÉ

Le non-filtrage du courrier en amont présente un réel danger pour qui veut recentrer son emploi du temps sur la préparation du moyen terme. Le courrier incarne à lui seul l'actualité, la pression du quotidien et le risque de vouloir tout savoir et tout contrôler...

35 TECHNIQUES ET OUTILS DE COORDINATION ET DE PLANIFICATION

COORDINATION INTERNE ET EXTERNE	LE BRIEFING JOURNALIER

UTILITÉ
Un moyen plus informel que formel de communiquer de manière ascendante, descendante et latérale l'information nécessaire au bon fonctionnement de l'équipe de travail, en faisant jouer pleinement les interactions...

MODE D'EMPLOI

1. Respecter la fréquence choisie (journalière, 2 fois par semaine, etc.) et le temps convenu (10/15 minutes) quelles que soient les contraintes rencontrées.
2. Créer une ambiance attractive et conviviale : des messages positifs et stimulants, des interventions concises afin de favoriser l'expression de tous...
3. Définir le contenu en fonction de l'actualité immédiate et des questions ou préoccupations des intéressés. Traiter dans l'instant les points urgents et faciles à résoudre, différer à plus tard ceux qui nécessitent une préparation ou des modalités différentes.
4. Clore l'échange par une note stimulante susceptible de lancer la journée sur des bases agréables : encouragement sur les efforts à produire, communication d'un résultat récent dont le groupe peut être fier...

CONDITIONS D'EFFICACITÉ

Il faut impérativement conserver au briefing son caractère informel. En cela, il est véritablement complémentaire de la réunion d'échange dans la nature des informations dont il assure la circulation...

TECHNIQUES ET OUTILS DE COORDINATION ET DE PLANIFICATION		36
COORDINATION INTERNE ET EXTERNE	POINT DE COORDINATION	

UTILITÉ

Dès lors que de fréquents échanges d'information caractérisent la relation entre deux interlocuteurs, il est indispensable d'instaurer au minimum un point de coordination structuré par jour...

MODE D'EMPLOI

1. Fixer une plage horaire dans la journée pour traiter en commun l'ensemble des éléments relevant de cette coordination. Ainsi, chacun s'évertue ensuite à ne pas déranger l'autre lorsque la situation n'exige pas un traitement immédiat.
2. Pour grouper vos demandes et consignes, inscrire sur une fiche prévue à cet effet les informations à communiquer. Faites en sorte que l'interlocuteur agisse de même.
3. Respecter le temps de l'autre est le meilleur garant de l'efficacité : ne confiez pas un travail à une échéance sans veiller à sa faisabilité ; n'interrompez pas une activité sans prendre garde à ce qui est en train de se faire ; en cas d'arbitrage difficile dans les priorités, étudier ensemble l'ordre de traitement des opérations...
4. Expliquez fréquemment vos priorités actuelles et n'hésitez pas à donner les informations utiles sur l'amont et l'aval du travail demandé.
5. Prévenir vaut mieux que guérir : annoncer une mission complexe suffisamment à l'avance, soigner la présentation de vos notes écrites ; afin de ne pas confondre qualité et perfectionnisme, clarifier le niveau d'exigence...

CONDITIONS D'EFFICACITÉ

Qu'il s'agisse d'une secrétaire ou d'un collaborateur, il est essentiel de pouvoir s'appuyer sur un partenaire très au fait de vos objectifs, préoccupations et contraintes. Associer au maximum cette personne sur le choix des outils et techniques à mettre en œuvre pour optimiser la coordination souhaitée...

37	TECHNIQUES ET OUTILS DE COORDINATION ET DE PLANIFICATION
COORDINATION INTERNE ET EXTERNE	**TECHNIQUE DU BOUCLAGE (plan de coordination)**

UTILITÉ
Face à un projet ou une action complexe, il est capital pour « boucler » la situation (faire le tour) d'assurer une coordination efficace auprès des intéressés, et de prévoir celle qu'il s'agit d'assumer dans les phases ultérieures...

MODE D'EMPLOI

1. Identifier les acteurs concernés par le projet (ou l'action...) à l'intérieur comme à l'extérieur de votre unité de travail (amont ou aval).
2. Mentionner à quel titre chacun des acteurs est impliqué dans le processus : information, consultation ou décision.
3. Repérer les différentes séquences ou étapes composant les trois phases AVANT/PENDANT/APRÈS de l'opération.
4. A partir d'une matrice conçue pour mieux visualiser l'ensemble du dispositif, clarifier les tâches de coordination à réaliser en croisant les acteurs et leur degré d'implication aux différentes étapes du processus.
5. En fonction de la chronologie souhaitable (ou souhaitée), planifier les actions identifiées (inscrire des numéros d'ordre ou bien des dates...).

CONDITIONS D'EFFICACITÉ

De manière simplifiée, ce plan de coordination peut être utile dans de nombreux cas de figure. La capacité à coordonner et à tenir au courant devient dans un contexte si évolutif une qualité primordiale...

PLAN DE COORDINATION DU PROJET X

	A L'INTÉRIEUR DE L'UNITÉ	A L'EXTÉRIEUR DE L'UNITÉ
AVANT L'ACTION	- *sensibiliser sur les enjeux de la situation* - *choisir un coordinateur central* - *établir le planning des réunions*	- *informer les principaux partenaires* - *inviter le responsable du département*
PENDANT L'ACTION	- *mise en place d'un cahier d'incident* - . . . . - *choisir des indicateurs de suivi et définir QUI FAIT QUOI*	- *annoncer les règles en vigueur pendant la mise en place du projet* - . . . . - . . . .
APRÈS L'ACTION	- *formaliser des nouvelles définitions de fonction* - . . . . -	- *adresser un compte-rendu à la Direction générale après présentation à la hiérarchie* - *présentation globale des résultats (à programmer pour décembre...)*

38 TECHNIQUES ET OUTILS DE COORDINATION ET DE PLANIFICATION

COORDINATION INTERNE ET EXTERNE	DEMANDE DE TRAVAIL

UTILITÉ

Afin d'harmoniser au mieux la gestion de votre charge de travail, ou bien celle de votre unité (pour une activité d'étude, de maintenance ou d'approvisionnement...), il est peut-être souhaitable de prévoir, en amont de votre propre processus de travail, un support d'analyse et de gestion des demandes...

MODE D'EMPLOI

1. Etablir un support favorisant une explicitation précise de la demande, de manière à évaluer et gérer la charge de travail prévisible.
2. Pour pouvoir identifier le degré d'urgence (préférer un délai précis ou une échéance de réalisation à des rubriques telles que urgent/pas urgent). En cas de besoin, il devient plus facile d'arbitrer les priorités.
3. Inscrire sur le document la date de réception puis la date de réalisation sur laquelle il vous semble possible de vous engager. Si le délai souhaité par votre interlocuteur est incompatible avec votre charge de travail, négocier avec lui d'un délai réaliste et adapté à la situation.
4. Effectuer à fréquence régulière (une fois par mois par exemple...) une analyse périodique de vos demandes (en nombre et en nature) afin d'affiner votre évaluation de la charge de travail ainsi que vos normes d'activité par types d'intervention. Si des retards sont à prévoir, prévenez vos correspondants le plus tôt possible.

CONDITIONS D'EFFICACITÉ

Pour faciliter la négociation d'une échéance avec les entités directement concernées, il est souhaitable de préciser par avance les fourchettes de temps prévisibles pour les principaux travaux pris en charge...

<table>
<tr><td colspan="2">DEMANDE DE TRAVAIL</td><td colspan="2">Nº 24 324</td></tr>
<tr><td colspan="2">EMISE LE : 06/10</td><td colspan="2">REÇUE LE : 07/10</td></tr>
<tr><td colspan="4">ORIGINE DE LA DEMANDE : SERVICE ACHAT</td></tr>
<tr><td colspan="4">NATURE DE LA DEMANDE :
Duplication en 3 000 exemplaires du catalogue de présentation des nouveaux produits (3 couleurs, brochage habituel et papier qualité supérieure...)</td></tr>
<tr><td colspan="4">INFORMATIONS COMPLÉMENTAIRES :
Nous souhaitons obtenir ces exemplaires pour le 15/10 maximum</td></tr>
<tr><td>DATE DE RÉALISATION PRÉVUE</td><td>14/10</td><td>DATE DE RÉALISATION EFFECTIVE</td><td>12/10</td></tr>
<tr><td colspan="4">OBSERVATIONS :</td></tr>
</table>

39	TECHNIQUES ET OUTILS DE COORDINATION ET DE PLANIFICATION
COORDINATION INTERNE ET EXTERNE	**PRATIQUE DU TÉLÉPHONE EN SITUATION D'ÉMETTEUR**

UTILITÉ

Le téléphone joue un rôle clef dans l'organisation personnelle et pourtant son utilisation en tant qu'émetteur est rarement ressentie comme optimale...

MODE D'EMPLOI

1. Connaître parfaitement les performances techniques de l'appareil (composeur de numéros, rappel automatique, conférence à 3...).
2. Disposer d'un annuaire téléphonique à jour et précis (nom des interlocuteurs, postes directs...).
3. Avant l'appel, étudier préalablement la pertinence de la communication téléphonique par rapport à d'autres modes de communication (avantages/inconvénients), préparer le contenu de l'échange pour être concis et performant (objet, points clés, argumentaire...).
4. Faire une liste pour regrouper les appels et choisir le moment opportun (tenir compte de vos contraintes mais aussi de celles de vos interlocuteurs).
5. Avant toute chose, se présenter au récepteur et préciser l'objet de l'appel. Si l'interlocuteur est occupé, recueillir l'information permettant de rappeler dans les meilleures conditions.
6. Eliminer les filtres téléphoniques par la mise en valeur de l'enjeu de votre appel « une affaire excessivement importante », ou par la confidentialité du contact à créer « pour des raisons personnelles... ».
7. Surveiller le temps qui passe, et reformuler si nécessaire les points essentiels. Au moment de conclure, effectuer une synthèse de l'entretien.
8. En cas de décision importante, ne pas hésiter à faire une confirmation par écrit.

CONDITIONS D'EFFICACITÉ

Effectuer à fréquence régulière une analyse qualitative chiffrée des appels émis : nature des appels, durée, fréquence, choix du moment, etc.

TECHNIQUES ET OUTILS DE COORDINATION ET DE PLANIFICATION — 40

COORDINATION INTERNE ET EXTERNE	PRATIQUE DU TÉLÉPHONE EN SITUATION DE RÉCEPTEUR

UTILITÉ

Le téléphone est le principal voleur de temps. Il incarne à la fois la pression de l'urgence (la priorité des priorités) et l'opportunité d'une détente lorsque l'appel permet d'interrompre une activité ingrate ou complexe...

MODE D'EMPLOI

1. Bien connaître les performances techniques de l'appareil (répondeur, transfert d'appel...).
2. Informer vos principaux interlocuteurs des plages horaires privilégiées pour vous appeler (choisir un ou deux créneaux horaires prévus pour réceptionner les appels).
3. Communiquer à votre secrétaire ou à un proche collaborateur votre emploi du temps et les consignes liées au filtrage et/ou à la coordination téléphonique.
4. Dès le début de l'appel, annoncer vos contraintes en temps « je ne dispose que de 5 minutes... ».
5. Différer et/ou transmettre les appels lorsqu'il vous semble opportun de remettre à plus tard et/ou de déléguer le traitement d'un appel.
6. Refuser les appels inutiles en prétextant votre prétendue indisponibilité pendant la période concernée.
7. Lorsque l'appel se prolonge inutilement, évoquer l'obligation qui est la vôtre de participer immédiatement à une réunion ou de devoir répondre à un appel sur une autre ligne.
8. Avoir toujours à portée de main votre agenda et le dossier concerné pour inscrire les points à retenir. Faire reformuler dès qu'une confusion semble possible.

CONDITIONS D'EFFICACITÉ

Assurer à fréquence régulière une analyse qualitative de la pratique du téléphone en situation de récepteur (motifs des appels, erreurs d'aiguillage, nombre d'appels inutilement longs, nature des perturbations subies...). L'application de ces méthodes repose en amont sur l'existence d'un filtrage adapté à vos besoins...

41 TECHNIQUES ET OUTILS DE COORDINATION ET DE PLANIFICATION

COORDINATION INTERNE ET EXTERNE	FILTRAGE TÉLÉPHONIQUE

UTILITÉ

Votre efficacité personnelle repose sur votre capacité à vous protéger des dérangements téléphoniques tout en restant disponible aux opportunités et aux besoins de votre environnement. Répondre simultanément à ces deux exigences montre bien la difficulté du filtrage...

MODE D'EMPLOI

1. Il faut avant tout convaincre les personnes concernées (secrétaire, collaborateurs...) qu'un tel système ne se met pas en place en un seul jour. Il est affaire de complicité et de rigueur dans son actualisation permanente.
2. Raisonner à partir d'une banque de données objectives. Le pointage des appels au standard (relevés des faits, chiffrage en volume des types d'appel...) ainsi qu'une conduite d'auto-pointage effectuée par les principaux intéressés (erreurs d'aiguillage, objets de l'appel insuffisamment explicites...) procurent les moyens de bâtir un système répondant aux difficultés constatées.
3. Prévoir une formation préalable (entraînement par le biais de simulation et jeux de rôles). C'est plus l'apprentissage d'un comportement que la maîtrise de consignes précises qui conditionne par la suite le succès d'un tel dispositif.
4. Assurer l'information permanente des personnes concernées par le dispositif de filtrage. La capacité à resituer l'information dans son contexte détermine la qualité de la décision prise lors du filtrage (transférer, différer, planifier...).
5. Lors du lancement du dispositif, faire noter tous les appels reçus et non transmis directement aux personnes appelées sur des fiches ou sur un cahier de liaison téléphonique.
6. Consacrer lors des réunions de service un moment d'échange et de réflexion sur l'efficacité du système. Son optimisation exige des refontes fréquentes, en relation étroite avec les objectifs et la répartition des tâches.

CONDITIONS D'EFFICACITÉ

A la fois rigoureux et flexible, la réussite d'un tel système dépend de la volonté manifestée par tous de le faire vivre. Il faut convaincre les intéressés qu'il s'agit d'un processus évolutif, pas d'une bible de procédures statique et définitive...

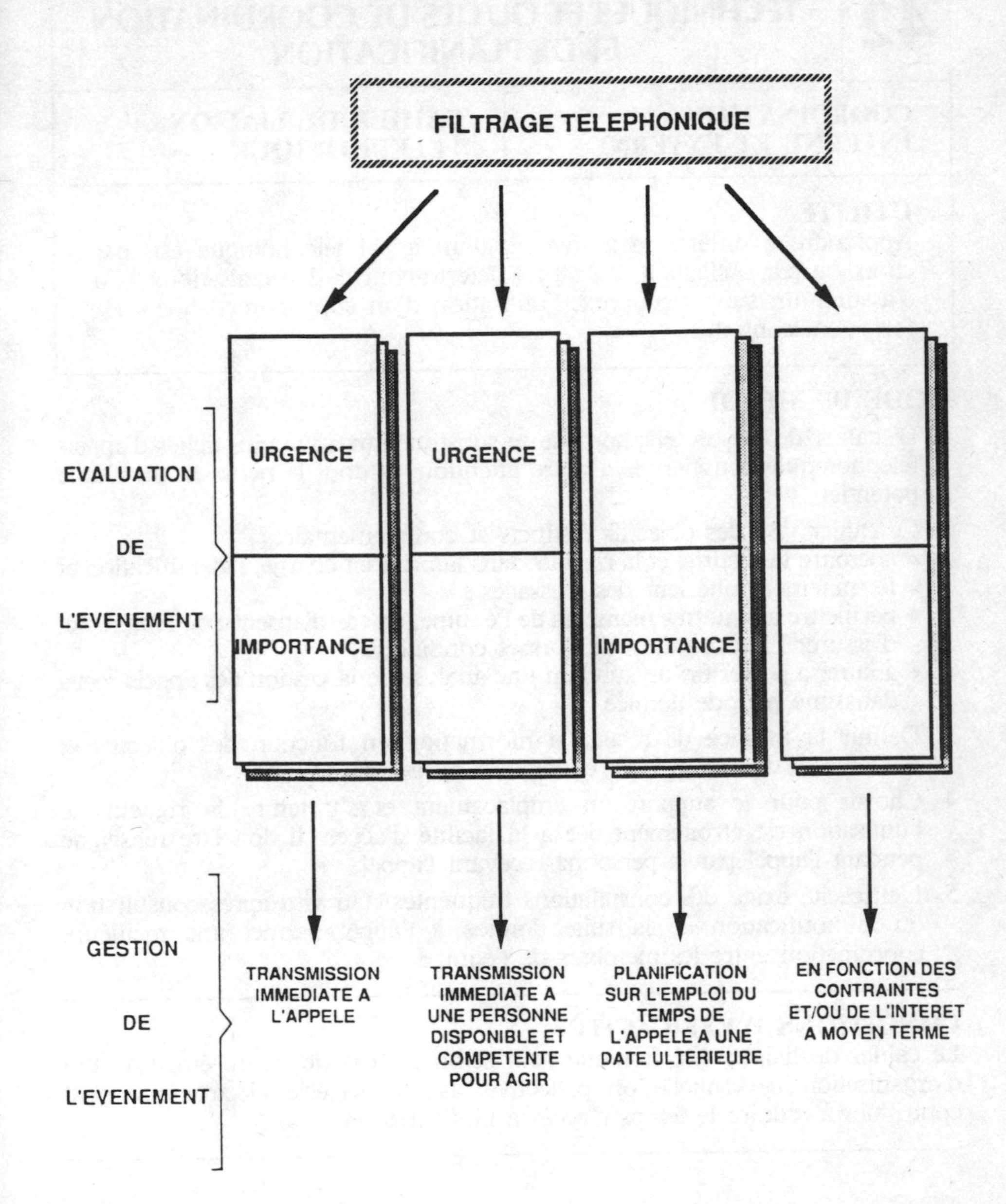
FILTRAGE TELEPHONIQUE
EVALUATION
DE
L'EVENEMENT
URGENCE
URGENCE
IMPORTANCE
IMPORTANCE
GESTION
DE
L'EVENEMENT
TRANSMISSION IMMEDIATE A L'APPELE
TRANSMISSION IMMEDIATE A UNE PERSONNE DISPONIBLE ET COMPETENTE POUR AGIR
PLANIFICATION SUR L'EMPLOI DU TEMPS DE L'APPELE A UNE DATE ULTERIEURE
EN FONCTION DES CONTRAINTES ET/OU DE L'INTERET A MOYEN TERME

42 TECHNIQUES ET OUTILS DE COORDINATION ET DE PLANIFICATION

COORDINATION INTERNE ET EXTERNE	CAHIER DE LIAISON TÉLÉPHONIQUE

UTILITÉ

Apprendre à différer le traitement d'un appel téléphonique est, par choix ou par obligation, un aspect déterminant de l'organisation. Afin d'assurer un suivi rigoureux, l'utilisation d'un support « ad hoc » est fortement conseillé...

MODE D'EMPLOI

1. Le cahier de liaison téléphonique se substitue aux multiples fiches d'appels téléphoniques renseignées à notre attention, et dont la perte est un risque potentiel.
2. Ce cahier vise des objectifs distincts et complémentaires :
   - accroître la sécurité et la rigueur dans la prise en charge, l'identification et le traitement ultérieur des messages ;
   - permettre aux autres membres de l'équipe, en cas d'absence de l'intéressé, d'assurer l'intérim dans de bonnes conditions ;
   - assurer a posteriori un suivi ou une analyse de la gestion des appels reçus dans une période donnée.
3. Définir la matrice de recueil d'information en fonction des objectifs et modalités d'utilisation (voir exemple ci-après).
4. Choisir pour le support un emplacement et s'y tenir : la rigueur de l'utilisation est étroitement liée à la facilité d'accès. Il doit être renseigné pendant l'appel par la personne recevant l'appel.
5. L'efficacité exige des consultations fréquentes. Un visa après consultation ou la notification de la suite donnée à l'appel permet une meilleure coordination entre les membres de l'équipe.

CONDITIONS D'EFFICACITÉ

Le cahier de liaison téléphonique peut selon les cas de figure être un outil d'organisation personnelle ou collective. La messagerie électronique peut contribuer à réduire le temps d'accès à l'information...

CAHIER DE LIAISON TÉLÉPHONIQUE

DATE ET HEURE	NOM DE L'APPELÉ	NOM DE L'APPELEUR	MOTIF DE L'APPEL	SUITE A DONNER
4/1 16 H 00	FICHET	SOCIÉTÉ X M. DUFILS	PRISE DE CONTACT ET PRÉSENTATION DES PRODUITS	PAS INTÉRESSÉ POUR L'INSTANT
4/10 16 H 15	MARTY	FAVEROT	RAPPELER URGENT INCIDENTS MACHINE	TRAITÉ A 16 H 30
4/10 16 H 20	FICHET	RAISONS PERSON-NELLES	RAPPELER DÈS QUE POSSIBLE AU 46 24 12 14	VU
4/10 16 H 35	VANNIER	CARAYON	PRÉSENTATION DE LA NOUVELLE PROCÉDURE SÉCURITÉ	

43 TECHNIQUES ET OUTILS DE COORDINATION ET DE PLANIFICATION

COORDINATION INTERNE ET EXTERNE	PRÉPARATION D'UNE RÉUNION (T.O.P.)

UTILITÉ
La qualité de la préparation d'une réunion de la part de l'animateur mais aussi des participants joue un rôle capital dans l'efficacité de celle-ci...

MODE D'EMPLOI

1. Avant toute chose, vérifier l'utilité de la réunion par rapport à la conférence téléphonique ou autres moyens (mémorandum...).
2. Définir en fonction du sujet et du but visé les personnes à impliquer dans l'opération et le choix du moment (vérifier ensuite la disponibilité des participants et de l'équipement nécessaire...).
3. Clarifier avec précision le T.O.P. (thème, objectif, plan) de manière à adresser aux intéressés dans les meilleures conditions (ni trop tôt, ni trop tard) les convocations. Joindre en annexe les informations utiles à la préparation de cette réunion.

T THÈME : sujet de la Réunion. Est-il délimité avec suffisamment de précision pour éviter les hors-sujets ?...
En quoi le contexte actuel apporte un éclairage particulier sur celui-ci ?...

O OBJECTIF : but à atteindre dans la Réunion. En quoi l'objectif est-il motivant et pertinent ?... Est-il réalisable compte tenu du niveau de connaissance de l'auditoire et des obstacles prévisibles ?...

P PLAN : itinéraire à suivre. Ce plan est-il adapté à la compréhension de l'auditoire ?... Quelles sont les précautions à prendre pour atteindre l'objectif visé ?...

4. Investir dans la logistique (réservation de la salle et du matériel) pour éviter toute mauvaise surprise ainsi que dans la relance de certains participants (si risque d'oubli).

CONDITIONS D'EFFICACITÉ

Ne pas négliger l'organisation spatiale de la salle (disposition des tables, des participants...) et votre préparation mentale : elle consiste à vivre par anticipation les séquences prévisibles de la réunion...

LE T.O.P. D'UNE RÉUNION D'ÉCHANGE
(SERVICE COMMERCIAL)

THEME	*ORGANISATION PRATIQUE DE LA CAMPAGNE COMMERCIALE SUR LES PRODUITS PROMOTIONNELS*
OBJECTIF	*ETABLIR LE PLAN D'ACTION DE L'UNITE DE TRAVAIL POUR MAI ET JUIN...*
PLAN	*1) RECENSER EN VRAC LES ACTIONS A PREVOIR* *2) REPERER LES OBSTACLES PREVISIBLES DE L'OPERATION* *3) CLARIFIER LE QUI FAIT QUOI* *4) PLANIFIER LES OPERATIONS RETENUES*

44 TECHNIQUES ET OUTILS DE COORDINATION ET DE PLANIFICATION

COORDINATION INTERNE OU EXTERNE	ANIMATION D'UNE RÉUNION D'ÉCHANGE

UTILITÉ
Est-il nécessaire de rappeler la valeur ajoutée d'une réunion d'échange dans la confrontation des idées, l'analyse des situations ou la prise de décision. Ainsi que l'importance de l'animateur dans l'organisation et la régulation des débats ?...

MODE D'EMPLOI

1. Définir le T.O.P. de la réunion, choisir les participants en fonction de la réunion, et envoyer une invitation suffisamment tôt pour ne pas perturber l'emploi du temps des personnes sollicitées.
2. Commencer et finir votre réunion à l'heure prévue, utiliser des supports de visualisation pour faciliter l'analyse (tableau de papier, rétro-projecteur, documents de référence...).
3. Disposer les participants en fonction de l'objectif (table ovale pour une négociation, en fer à cheval pour un échange d'idées, plusieurs tables en épis pour un travail en atelier).
4. Consacrer les trois premières minutes à « planter le décor » et clarifier le mode de fonctionnement du groupe : contexte actuel et enjeux, objectif de la réunion, plan de travail, règles du jeu...
5. Pour faciliter l'échange : poser les questions adaptées à l'état d'avancement de la réflexion, rechercher un équilibre du temps de parole, recentrer rapidement en cas de hors-sujet, pratiquer dès que nécessaire des synthèses intermédiaires...
6. Lors d'une prise de décision, préférer le consensus (accord de tous) au choix majoritaire. Le consensus repose après analyse des points de vue (points forts/points faibles), sur l'acceptation par les minoritaires du choix des plus nombreux. Le consentement doit s'obtenir sans frustration.
7. Conclure la réunion consiste à résumer les points clefs et définir la suite à donner en fonction des résultats obtenus. Un compte-rendu succinct rédigé en fin de réunion permet de garder en mémoire l'essentiel, et d'informer ainsi dans les meilleurs délais l'ensemble des personnes impliquées.
8. Veiller à la suite de la réunion au respect de la mise en application effective des décisions prises.

CONDITIONS D'EFFICACITÉ

L'animateur ne doit pas monopoliser la parole plus de 20 % du temps pour obtenir une réelle prise en charge par le groupe de l'objectif de la réunion. Il doit à la fois pouvoir concilier la productivité du groupe et l'adhésion de tous les participants aux idées et décisions retenues.

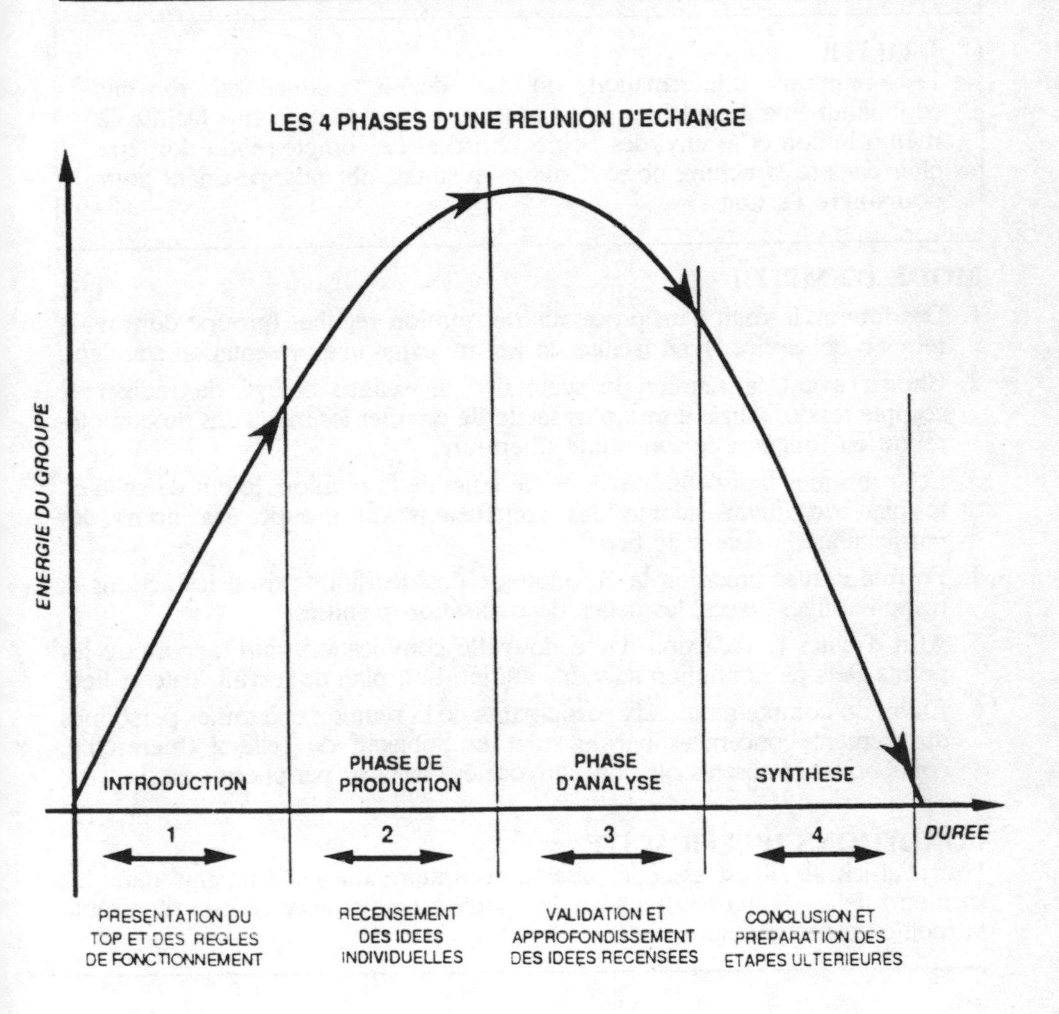

45 TECHNIQUES ET OUTILS DE COORDINATION ET DE PLANIFICATION

COORDINATION INTERNE ET EXTERNE	COMPTE-RENDU DE LA RÉUNION

UTILITÉ

Les réunions d'information ou de décision sont des moyens économiquement rentables, à condition qu'une trace écrite facilite la mémorisation et le suivi des points abordés. Le compte-rendu doit être clair dans sa structure, objectif sur les résultats obtenus, pertinent pour poursuivre l'action...

MODE D'EMPLOI

1. Dès lors qu'il s'agit d'un processus de réunion régulier (groupe de travail, réunion de service...), en faciliter la lecture exige une présentation standard.
2. Choisir avant la réunion le secrétaire de séance chargé de rédiger le compte-rendu. Ainsi, il sera plus facile de clarifier les modalités du compte-rendu en fonction de son utilité ultérieure.
3. Les rubriques indispensables sont : le sujet de la réunion, le but de celle-ci, le plan de travail adopté, les conclusions du groupe, les noms des participants, la date et le lieu.
4. Formuler avec précision la chronologie des décisions prises, les actions et responsabilités fixées, les délais de réalisation planifiés.
5. Afin d'éviter la rédaction d'une nouvelle convocation, faire apparaître les points clefs de la réunion suivante : sujet, but, plan de travail, date et lieu.
6. Envoi du compte-rendu aux participants de la réunion et à toutes personnes directement concernées par le sujet et l'objectif de celle-ci (hiérarchie, collaborateurs absents ou non convoqués, services périphériques...).

CONDITIONS D'EFFICACITÉ

Pour l'efficacité, il est essentiel que le compte-rendu soit transmis dans les meilleurs délais. Sa rédaction en fin de séance ou à l'issue de celle-ci représente la meilleure des garanties.

DATE : .. / .. / ..

Compte -rendu de la réunion du service : ....

PRESENTS :

ABSENTS :

RESUME DES POINTS TRAITES :

....
....
....
....
....
....
....
....
....
....
....
....
....
....
....
....

ACTIONS PREVUES :	DELAIS
• • • • • • •	

Prochaine réunion le : .. / .. / ..	Copie à : Signature :	PAGE N°

46 TECHNIQUES ET OUTILS DE COORDINATION ET DE PLANIFICATION

PLANIFICATION ET PROGRAMMATION	MÉTHODES D'ESTIMATION DU TEMPS

UTILITÉ

Notre appréhension du temps étant subjective, la qualité de la planification repose en définitive sur un pré-requis incontournable : l'évaluation objective du temps nécessaire à une activité...

MODE D'EMPLOI

1. L'évolution constante du volume de temps nécessaire à la réalisation d'une tâche est mesurable par l'analyse rétrospective : elle s'appuie sur l'historique et dégage par lissage (à partir des données statistiques) la tendance d'évolution du phénomène.
2. L'estimation par pendulage permet sans historique préalable de définir une norme fiable sur des activités présentant une durée aléatoire :

$$\text{pendulage} = \frac{\text{temps mini} + \text{temps maxi} + 4 \text{ temps probable}}{6}$$

3. Si la durée est stable, la méthode dite de la fourchette est suffisante : en partant de deux temps extrêmes, il s'agit de raccourcir progressivement l'écart afin d'aboutir à une estimation significative (exemple : le traitement du courrier 30/40 minutes).
4. Le chronométrage permet de mesurer en situation le temps réellement consacré à une tâche. Les temps obtenus doivent être réajustés afin de prendre en compte les éventuels décalages avec les conditions habituelles.
5. Les temps standards sont établis à partir de tables, elles-mêmes réalisées à partir d'observations concernant des tâches répétitives analysées dans des situations de travail différentes (moments dans la journée, état de fatigue, fréquence des dérangements...).

CONDITIONS D'EFFICACITÉ

Il n'est pas illusoire de prétendre à une mesure objective des temps de traitement, en sachant qu'il s'agit de choisir la méthode en fonction du degré de précision attendu...

ETUDE DES TEMPS STANDARDS D'UN SECRETARIAT

TACHES ETUDIEES	MESURES						TEMPS MOYEN
	1	2	3	4	5	6	
Frappe d'une page en dactylographie simple	12'15	11'10	14'	10'30	13'20	12'05	12'20
Frappe d'une page en dactylographique complexe (schéma)	19'	24'	23'	21'	32'	25'	24'00
Dispatching du courrier arrivée	7'30	5'20	8'15	10'05	8'	7'10	7'45
Gestion d'un appel teléphonique	2'30	1'27	2'15	1'45	1'37	1'50	8'10
Mise sous enveloppe courrier départ	4'	3'20	3'30	4'10	3'30	3'50	3'43
Ouverture des enveloppes (courrier arrivée)	3'30	4'25	6'10	2'45	3'	3'20	3'54
Etc...							

47 TECHNIQUES ET OUTILS DE COORDINATION ET DE PLANIFICATION

PLANIFICATION ET PROGRAMMATION	AUTO-POINTAGE DE L'EMPLOI DU TEMPS

UTILITÉ

La mesure du temps ne correspond pas à une démarche habituelle. Notre appréhension du temps étant subjective, l'extériorité obtenue par la conduite d'un auto-pointage facilite une construction logique et rationnelle de l'emploi de son temps...

L5.5**MODE D'EMPLOI**

1. Définir les objectifs de l'analyse et construire la grille d'approche adéquate. Ne pas tomber dans une analyse trop fouillée, la sélectivité et la progressivité sont les meilleurs garants d'une réelle efficacité.
2. Choisir la période concernée par l'auto-pointage en fonction des particularités de l'activité (moins les tâches sont répétitives et plus la période d'analyse est longue). Une fourchette entre 3 et 10 jours permet d'aboutir à une estimation satisfaisante pour 80 % des postes.
3. Le choix d'une méthode de saisie à la fois rigoureuse et économique dépend des caractéristiques de la grille d'auto-pointage. Une approximation effectuée au fur et à mesure est bien souvent suffisante : par exemple, après chaque heure, inscrire pour une charge équivalent à un quart d'heure un bâtonnet en face du domaine d'action concerné.
4. L'exploitation *a posteriori* montre que sur un plan purement qualitatif celle-ci est préférable le jour même. Dans le domaine quantitatif, une analyse « à froid » est conseillée.
5. La synthèse des éléments enregistrés débouche sur une analyse causale. (Pourquoi ?) C'est l'identification des causes profondes qui permet d'améliorer la qualité de l'organisation, notamment celle de la planification.

CONDITIONS D'EFFICACITÉ

Pour mener à bien cet auto-pointage, l'expérience montre que le plus difficile dans cette analyse c'est la discipline qu'il faut s'imposer plusieurs jours consécutifs...

FICHE D'AUTO - POINTAGE

HORAIRES	TACHES	DUREE	PLANIFICATION		INITIALISATION	
			PREVUE	IMPREVUE	PROVOQUEE	SUBIE
9	Coordination interne	10'		X		X
	courrier	30'	X		X	
10	Entretien avec DUFILS et GERMON	40'	X			X
	....					
11						

RELEVE DE L'EMPLOI DU TEMPS

	FONCTIONS	9/10	10/10	11/10	12/10	TOTAL
1	- PRODUCTION COMMERCIALE	⊓	⊠ |	⊠ |	⊠ ⊓	41%
2	- PRODUCTION ADMINISTRATIVE	┌	┌	⊓	□	9%
3	- PRODUCTION TECHNIQUE	┌	|	┌		4%
4	- PREVISION	|	┌	|	|	3%
5	- COORDINATION ET ORGANISATION	⊠ |	⊠ |	□	⊠ |	20%
6	- SUIVI DES PERFORMANCES	┌	┌	⊓	□	10%
7	- RELATION AVEC L'ENVIRONNEMENT	⊠ |	┌	┌	⊓	8%

48 TECHNIQUES ET OUTILS DE COORDINATION ET DE PLANIFICATION

PLANIFICATION ET PROGRAMMATION	MÉTHODE DES OBSERVATIONS INSTANTANÉES

UTILITÉ

Elle permet d'analyser un dysfonctionnement (non-disponibilité d'un équipement informatique, file d'attente...) par une approche statistique évitant une observation prolongée et continue. Elle concilie deux avantages perçus comme contradictoires : la précision et l'économie d'une démarche coûteuse en temps...

MODE D'EMPLOI

1. Cette méthode consiste à faire des observations ponctuelles, plusieurs fois par jour, à des moments différents d'un jour sur l'autre. Ces moments étant choisis « au hasard ».
2. Les moments d'observation sont choisis à l'aide d'une table de nombres au hasard (de 0 à 60) : 6, 23, 47 se transforment ici en 9 h 06, 9 h 23, 9 h 47...
3. Le nombre d'observations à réaliser dépend en fait de deux facteurs : la probabilité d'obtenir un reflet exact de la réalité (coefficient de confiance) et la précision souhaitée (pourcentage d'incertitude).
4. Le volume d'observations se détermine à l'aide d'une abaque indiquant en abscisses le nombre d'observations nécessaires et en ordonnées le pourcentage de temps que représente le phénomène étudié (exemple : la file d'attente au guichet d'une banque équivaut à 70 %. Elle exige 180 observations pour une précision de 10 %, 700 par une précision de 5 %.)
5. Le nombre maximal d'observations dans une journée ne doit pas excéder 30. Ainsi il est possible de déduire la durée d'observation.

CONDITIONS D'EFFICACITÉ

Il faut pour optimiser au mieux cette démarche définir correctement le niveau de précision visé. Dans bien des cas, un niveau de précision de 10 % est suffisant pour obtenir une estimation exploitable...

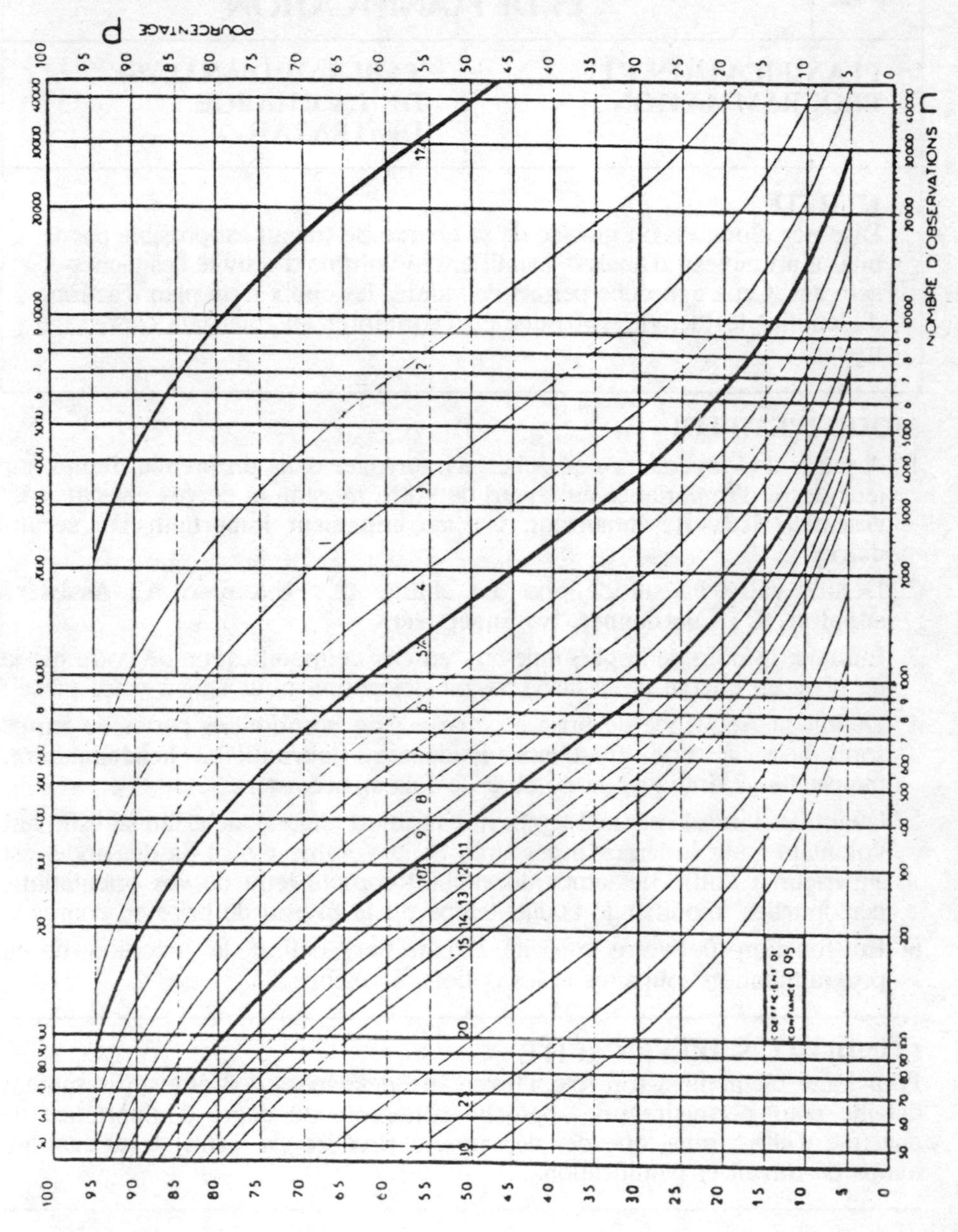
ABAQUE
POURCENTAGE p
NOMBRE D'OBSERVATIONS n
COEFFICIENT DE CONFIANCE 0,95

49	TECHNIQUES ET OUTILS DE COORDINATION ET DE PLANIFICATION
PLANIFICATION ET PROGRAMMATION	**TABLEAU D'ANALYSE DE LA CHARGE DE TRAVAIL**

UTILITÉ

Disposer d'une vision globale de sa charge de travail est possible par le biais d'un tableau d'analyse identifiant le volume d'activité des tâches et activités. Cette approche permet de valider les choix d'un plan d'action, d'identifier les activités à risque et d'équilibrer au mieux la charge de travail...

MODE D'EMPLOI

1. A partir de l'inventaire des tâches, s'interroger dans un premier temps sur leur degré d'importance au regard de votre mission et de vos objectifs **(A : essentiel/vital, B : important, C : moyennement important, D : secondaire).**
2. Définir votre niveau de prise en charge **(E : Exécuter, A : Assister/suppléer, C : Coordonner, S : Superviser).**
3. Indiquer le nom de la personne qui, en cas de modification de votre mode de prise en charge de la tâche, reçoit délégation pour agir à votre place.
4. Définir la fréquence de prise en charge : de nombreuses pertes de temps sont liées à une fréquence inadaptée **(journalière, hebdomadaire, mensuelle...).** Indiquer le nombre de fois si nécessaire.
5. Quantifier l'investissement-temps que requiert chaque tâche (en surestimant volontairement le temps nécessaire). Si le volume global (la demande) est supérieur à l'offre (le temps disponible) compte tenu de vos orientations personnelles, modifier le budget-temps ou le niveau de prise en charge.
6. En fonction de votre capacité à planifier, définir la précision de la programmation souhaitée et les options à retenir.

CONDITIONS D'EFFICACITÉ

Pour jouer pleinement son rôle, l'inventaire des tâches doit être suffisamment détaillé pour permettre une approche cohérente du degré d'importance de chacune d'elle... ainsi que des décisions à prendre en terme de délégation, temps de travail et planification...

ANALYSE DE LA CHARGE DE TRAVAIL

TACHES	Degré d'importance	Niveau de prise en charge	Délégation	Fréquence	Durée moyenne	Planification		QUAND		
						OUI	NON	SEM.	JOUR	PLAGE HORAIRE
GESTION ADMINISTRATIVE	C				30%					
- Distribution du courrier	D	S	PERRIN	1/JOUR	-		X			
- Lecture courrier	C	E		1/JOUR	15'		X			
- Rédaction courrier	A	E		1/JOUR	30'	X				16h/16h30
- Classement / archivage	C	S	RAULT	PONCTUELLE	2"/MOIS		X			
- Gestion des fournitures	D	S	PERRIN	1/MOIS	15'	X			Dernier jour du mois	
-										
INFORMATION / FORMATION	A	A			8%					
- Briefing quotidien	B	E		JOUR	10'	X				9h/9h10
- Réunion de service	A	E		HEBDO	1"	X			Jeudi	10h30/11h30
-										

50	TECHNIQUES ET OUTILS DE COORDINATION ET DE PLANIFICATION

PLANIFICATION ET PROGRAMMATION	EMPLOI DU TEMPS THÉORIQUE

UTILITÉ

A partir d'une vision globale de la charge de travail, l'emploi du temps théorique propose sur un tableau de synthèse une organisation-type et un cadre de référence (normes à respecter) à la gestion de votre temps...

MODE D'EMPLOI

1. L'élaboration de l'emploi du temps théorique s'effectue à partir d'une évaluation préalable de la charge de travail (voir Tableau d'analyse de la charge de travail).
2. Construire le support de manière à visualiser sur un seul document l'ensemble de vos tâches.
3. Utiliser de préférence une mine crayon : votre organisation-type subira inéluctablement plusieurs réajustements dans les journées ou semaines à venir.
4. Visualiser dans un premier temps le noyau solide de votre activité (activités journalières et hebdomadaires) répondant au principe de la planification rigide (jour et heures fixes).
5. Inscrire par touches successives les activités hebdomadaires et mensuelles planifiables selon le principe d'une planification rigide ou d'une programmation souple (dans un mois, une semaine ou une journée mais sans précision sur la plage horaire), et faire ensuite apparaître les tâches ponctuelles.
6. Utiliser en début de mois cet outil pour faciliter le remplissage de votre agenda et contrôler l'écart entre le dispositif prévu initialement et les réalisations effectives.

CONDITIONS D'EFFICACITÉ

Ce cadre de référence pour être pleinement opérationnel doit être réactualisé une à deux fois par an en fonction des objectifs poursuivis et des évolutions de l'environnement professionnel...

EMPLOI DU TEMPS THEORIQUE

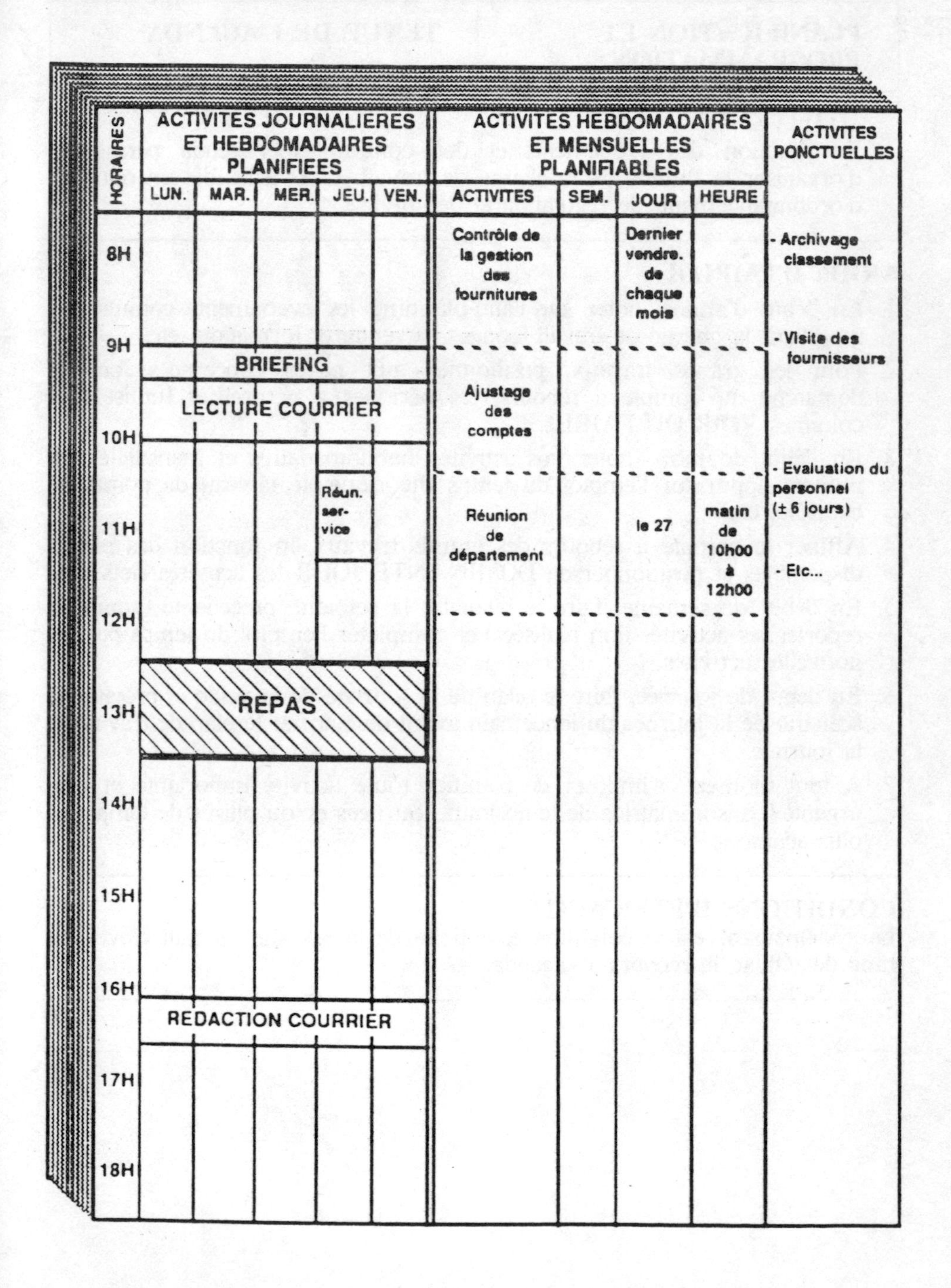

HORAIRES	ACTIVITES JOURNALIERES ET HEBDOMADAIRES PLANIFIEES					ACTIVITES HEBDOMADAIRES ET MENSUELLES PLANIFIABLES				ACTIVITES PONCTUELLES
	LUN.	MAR.	MER.	JEU.	VEN.	ACTIVITES	SEM.	JOUR	HEURE	
8H						Contrôle de la gestion des fournitures		Dernier vendre. de chaque mois		- Archivage classement
9H	BRIEFING					Ajustage des comptes				- Visite des fournisseurs
	LECTURE COURRIER									
10H				Réun. ser-vice						- Evaluation du personnel (± 6 jours)
11H						Réunion de département		le 27	matin de 10h00 à 12h00	- Etc...
12H										
13H	REPAS									
14H										
15H										
16H	REDACTION COURRIER									
17H										
18H										

51	TECHNIQUES ET OUTILS DE COORDINATION ET DE PLANIFICATION
PLANIFICATION ET PROGRAMMATION	**TENUE DE L'AGENDA**

UTILITÉ

En fonction des événements et des contraintes, l'agenda permet d'organiser la fluidité de la charge de travail. C'est à la fois un outil d'ordonnancement, de régulation et de suivi...

MODE D'EMPLOI

1. En début d'année, noter sur l'ano-planning les événements connus qui modifient la charge de travail (congés, inventaire, formation, etc.).
2. Pour les grands travaux, positionner aux pages concernées, par la démarche du compte à rebours, les périodes à neutraliser (utiliser les colonnes VOIR OU FAIRE).
3. En début de mois, noter vos activités hebdomadaires et mensuelles en prenant appui sur l'emploi du temps théorique, le tableau de points de contrôle, etc.
4. Affiner le compte à rebours des grands travaux en fonction des plages disponibles et positionner en DOMINANTE JOUR les activités clefs.
5. En début de semaine, faire le bilan de la semaine précédente (annuler/reporter les activités non réalisées) et compléter l'emploi du temps par les nouvelles activités.
6. En début de journée, faire le bilan de la journée de la veille et projeter le scénario de la journée du lendemain avant de clarifier le plan de travail de la journée.
7. A tout moment, s'imposer de planifier toute activité importante et non urgente (consommatrice de temps) aux journées et/ou plages de temps les plus adaptées.

CONDITIONS D'EFFICACITÉ

Le systématisme est la condition essentielle de la réussite : il faut élever au rang de réflexe le recours à l'agenda...

TECHNIQUES ET OUTILS DE COORDINATION ET DE PLANIFICATION	52

PLANIFICATION ET PROGRAMMATION	UTILISATION DU PARAPHEUR

UTILITÉ
La rigueur dans le domaine de la relance est un exercice délicat pour celui qui s'y attelle. Le parapheur - outil clef de la secrétaire - représente un moyen simple et efficace d'y parvenir...

MODE D'EMPLOI

1. Se doter d'un classeur avec 31 soufflets, il vous permet ainsi de classer physiquement le document au jour concerné (notes, directives, rapports, factures...).
2. Alimenter de votre propre initiative ce classeur avec des fiches à présentation standardisée (le recours à plusieurs couleurs facilite le repérage de la nature des travaux).
3. Lorsque vous confiez à des collaborateurs des missions longues ou importantes, classez le double de la demande au jour concerné.
4. Pour mieux assurer le suivi d'un projet ou la relance d'opérations complexes, créez plusieurs fiches et classez-les aux dates intermédiaires les plus opportunes.

CONDITIONS D'EFFICACITÉ

Pour éviter toute confusion, définir préalablement l'utilité du parapheur par rapport à l'agenda. Si votre activité n'est pas suffisamment sédentaire, déléguer à votre secrétaire le soin d'assurer sa maintenance quotidienne...

53 TECHNIQUES ET OUTILS DE COORDINATION ET DE PLANIFICATION

PLANIFICATION ET PROGRAMMATION	PLAN DE TRAVAIL JOURNALIER

UTILITÉ

Afin de ne pas vous laisser déborder par la pression de l'actualité immédiate, les sollicitations marginales ou vos propres impulsions, le plan de travail journalier organise par anticipation le scénario de la journée à venir...

MODE D'EMPLOI

1. Créer un support adapté à l'ordonnancement de votre journée en fonction du niveau de précision souhaité dans le descriptif des actions et l'horaire visé.
2. A partir des sources d'information disponibles (agenda, emploi du temps théorique, courrier du matin, parapheur...), noter les actions à entreprendre : appels téléphoniques, consignes à transmettre, recherches à effectuer...
3. Hiérarchiser les actions à entreprendre en fonction du dimensionnement (voir la fiche sur les critères d'évaluation d'un événement), puis reporter ou déléguer celles qui ne sont pas conservées à l'ordre du jour.
4. Planifier les tâches retenues en choisissant le moment opportun compte tenu : de votre courbe d'énergie, de la fréquence des perturbations (protéger les activités nécessitant de la concentration) et de la disponibilité des partenaires et collaborateurs.
5. Respecter dans la mesure du possible l'ordre établi, en évitant notamment de prendre une tâche non prévue sans mesurer préalablement les conséquences de cette modification (annulation, report, délégation...).
6. Rayer au fur et à mesure et effectuer en fin de journée un bilan du résultat obtenu et des décisions à prendre pour les journées à venir.

CONDITIONS D'EFFICACITÉ

Une planification journalière doit prendre en compte l'imprévisible, c'est-à-dire de 10 à 40 % du temps selon l'activité professionnelle. La qualité d'un plan de travail se juge à sa capacité à influencer les situations, plutôt qu'au strict respect du programme prévu initialement...

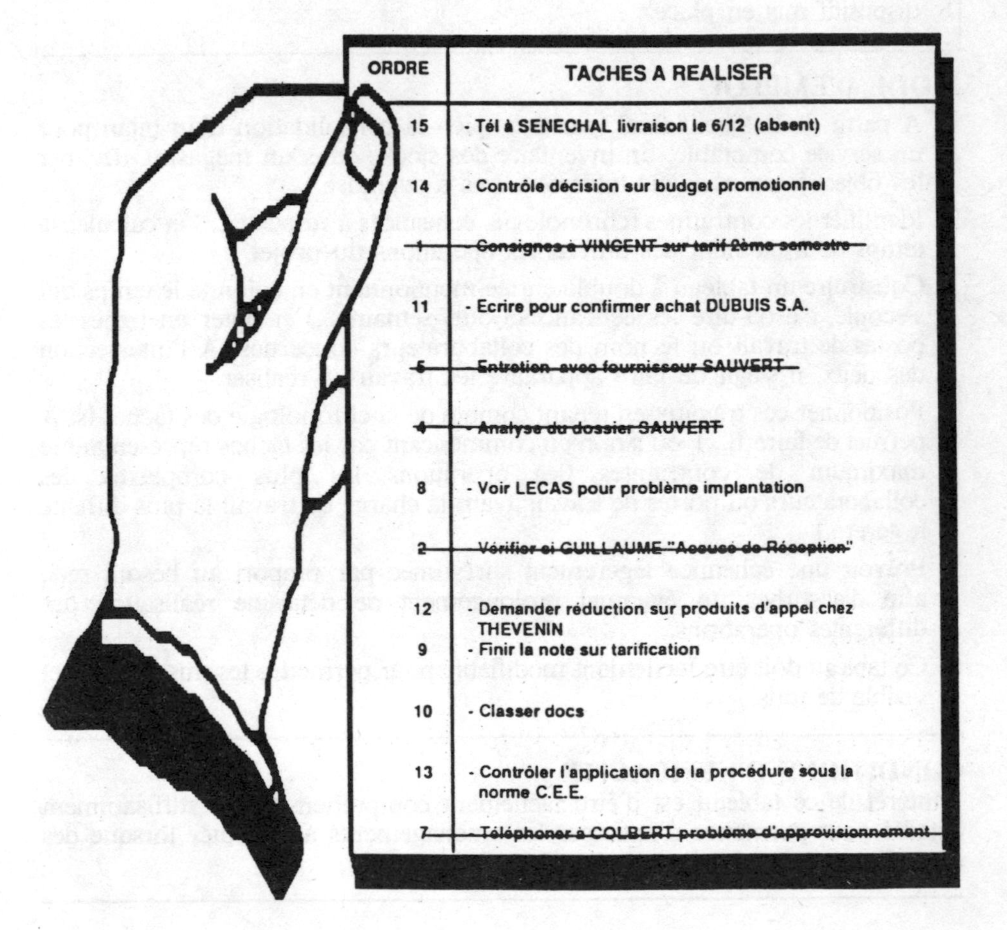

ORDRE	TACHES A REALISER
15	- Tél à SENECHAL livraison le 6/12 (absent)
14	- Contrôle décision sur budget promotionnel
~~1~~	~~- Consignes à VINCENT sur tarif 2ème semestre~~
11	- Ecrire pour confirmer achat DUBUIS S.A.
~~5~~	~~- Entretien avec fournisseur SAUVERT~~
~~4~~	~~- Analyse du dossier SAUVERT~~
8	- Voir LECAS pour problème implantation
~~2~~	~~- Vérifier si GUILLAUME "Accusé de Réception"~~
12	- Demander réduction sur produits d'appel chez THEVENIN
9	- Finir la note sur tarification
10	- Classer docs
13	- Contrôler l'application de la procédure sous la norme C.E.E.
~~7~~	~~- Téléphoner à COLBERT problème d'approvisionnement~~

54 TECHNIQUES ET OUTILS DE COORDINATION ET DE PLANIFICATION

PLANIFICATION ET PROGRAMMATION	PLANNING COLLECTIF

UTILITÉ

La synchronisation des tâches dans un projet intégrant l'activité de plusieurs personnes est un élément déterminant de la réussite. Le planning collectif est à la fois un outil d'optimisation des délais, de coordination des différentes opérations, et de supervision globale du dispositif mis en place.

MODE D'EMPLOI

1. A partir de l'objectif final (par exemple : la consolidation d'un bilan pour un service comptable, un inventaire des stocks dans un magasin), décliner les objectifs ou résultats intermédiaires à atteindre.
2. Identifier les contraintes (chronologie, échéances à respecter...) et calculer le temps de traitement des différentes opérations du projet.
3. Construire un tableau à double entrée mentionnant en colonne le temps qui s'écoule, c'est-à-dire les échéances (jour, semaine...) et noter en lignes les postes de travail ou le nom des collaborateurs concernés. A l'intersection des deux, il s'agit de faire apparaître les travaux à réaliser.
4. Positionner ces travaux en tenant compte de la chronologie des tâches (si A permet de faire B...), ou sinon en commençant par les tâches représentant le maximum de contraintes (les opérations les plus complexes, les collaborateurs ou postes de travail ayant la charge de travail la plus difficile à gérer...).
5. Prévoir une échéance légèrement surestimée par rapport au besoin réel, afin d'absorber un éventuel prolongement de délai de réalisation des différentes opérations.
6. Ce tableau doit être facilement modifiable pour permettre les mises à jour et visible de tous.

CONDITIONS D'EFFICACITÉ

L'intérêt de ce tableau est d'être facilement compréhensible et suffisamment détaillé pour permettre d'anticiper les aménagements à effectuer lorsque des obstacles apparaissent lors de la mise en œuvre...

PLANNING COLLECTIF

ANIMATEURS	FAVEROT	DUTERTRE	PICHON	MARTIN	SALAUN	BERTON
SEMAINE 21	A	A	B	B	B	B
SEMAINE 22	B	B	B	B		B
SEMAINE 23		B	B	B	B	B
SEMAINE 24	B	B	B	C	C	C
SEMAINE 25	C	C	C	C	C	C
SEMAINE 26	C	C	C	C	C	C
SEMAINE 27	D	D		D	D	D
SEMAINE 28	D	D		E	E	E
SEMAINE 29	E	E	E	E	E	E

Etape A : ....

Etape B : ....

Etape C : ....

Etape D : ....

Etape E : ....

: CONGE

: FORMATION

: ASSISTANCE CLIENTELE

55 TECHNIQUES ET OUTILS DE COORDINATION ET DE PLANIFICATION

PLANIFICATION ET PROGRAMMATION	CONDUCTEUR DE PROJET

UTILITÉ

Cet outil est indispensable lorsque des actions différentes, étalées dans le temps, et en relation les unes avec les autres, sont soumises au respect d'une échéance précise : mise en œuvre d'un plan d'action, formalisation d'une nouvelle procédure, préparation d'une action commerciale...

MODE D'EMPLOI

1. Recenser les actions à réaliser de manière exhaustive, afin de ne rien oublier lors de la planification. (Il est préférable pour des projets complexes ou novateurs de raisonner à rebours, c'est-à-dire en démarrant du but à atteindre.)
2. Classer par ordre chronologique les actions recensées ; si certaines se réalisent simultanément, utiliser le même numéro d'ordre...
3. Evaluer pour chacune d'elle le temps nécessaire (voir technique du pendulage) et inscrire au crayon sur le support les dates de début et de fin d'action.
4. En cas de retard, réévaluer en cours d'action les incidences de celui-ci afin de réactualiser votre planification.
5. Rayer au fur et à mesure les activités achevées. Evaluer après chaque étape l'écart entre prévu et réalisé.

CONDITIONS D'EFFICACITÉ

Pour assurer une coordination efficace, n'oubliez pas d'informer vos partenaires sur l'évolution du planning...

CONDUCTEUR DE PROJET

PROJET : MISE EN PLACE DU PROJET "ATHOS"

N°	ACTIONS A ENTREPRENDRE	DUREE GLOBALE	DEBUT	FIN
1	Analyse du cahier des charges	2 Jours	10/06	17/06
2	Validation du projet	1,5 Jours	17/06	20/06
3	Mise en place de l'équipe	2 Jours	24/06	27/06
4	Définition des rôles et objectifs	3,5 Jours	02/08	08/08
5	Présentation de la D. G.	0,5 Jours	09/08	09/08
6	Conception de la phase 1	15,5 Jours	0/08	02/09
7	Mise en place des outils de suivi	2 Jours	04/09	07/09
8	Négociation avec les utilisateurs	3 Jours	07/09	12/09
9	. . . .			

TROISIÈME PARTIE

INFORMATION ET FORMATION

La rapidité du changement fait que l'information et la formation jouent dans l'entreprise un rôle central dans la capacité d'adaptation des hommes et des organisations.

L'adaptation aux évolutions relève de cette mobilité intellectuelle qui consiste à comprendre avant de juger, et, à douter de ses certitudes...

A une croissance quantitative de l'information, nous constatons aujourd'hui un appauvrissement qualitatif de la prise de décision. L'information est une clef de la réussite pour qui sait la recueillir et la structurer efficacement.

L'autre versant de la difficulté en matière d'information réside dans la transmission et la présentation de celle-ci. La valeur d'un rapport ou d'une étude est étroitement liée à la qualité de sa présentation. Après le savoir-faire, apprenons donc à ne pas négliger le faire-savoir...

Le dernier domaine abordé par cette troisième partie est celui de la formation. De nos jours, l'Entreprise devient par obligation autant un système d'éducation que de production.

L'auto-formation se développe notamment par le biais de l'E.A.O. (Enseignement assisté par ordinateur), et la formation intégrée (alternance théorie/pratique) complète astucieusement les méthodes habituelles (séminaires, formation sur le tas...).
Face à l'utilisation de ces différentes techniques, chacun d'entre nous se sent directement concerné...

Avant de présenter quelques outils de l'INFORMATION ET DE LA FORMATION en situation de travail, voici 10 idées-forces à retenir pour agir efficacement :

1. **DISPOSER D'UN SYSTÈME D'INFORMATION PERFORMANT...**
   La capacité à décider s'avère indissociable de la capacité à s'informer. Savoir décider efficacement exige de disposer en amont d'un système d'information efficient. Le choix et la qualité de l'information recueillie sont souvent déterminants...

2. **CLASSER ET GÉRER AVEC SOIN VOTRE DOCUMENTATION...**
   Pour les métiers du tertiaire (60 % de la population active), l'information représente en définitive la matière première qui donne un sens et une utilité à l'activité professionnelle. La gestion de la documentation est un exercice fastidieux mais ô combien rentable...

3. **ÊTRE A L'ÉCOUTE DES BESOINS ET ATTENTES...**
L'apprentissage de l'écoute s'effectue dès le plus jeune âge à l'école primaire. Les résultats montrent que, dans le cadre d'une carrière, la curiosité de découvrir régresse plus vite que les capacités de mémorisation...

4. **COLLECTER L'INFORMATION DE MANIÈRE MÉTHODIQUE...**
Structurer l'information tout en voulant rester disponible et respectueux de l'expression exige une méthode de saisie rationnelle et flexible. Le recueil de l'information impose de bien différencier l'analyse de la synthèse...

5. **REPÉRER L'ESSENTIEL DE L'ACCESSOIRE...**
Compte tenu de l'objectif poursuivi et des limites intellectuelles qui sont les nôtres, l'information écrite ou orale exige toujours de notre part une réelle valeur ajoutée : l'esprit de synthèse...

6. **RAISONNER EN TERME DE BESOINS PLUTÔT QUE DE MOYENS...**
La pratique de l'information ou de la formation suppose une détermination claire et précise du besoin. Quel est l'objectif d'évolution ?... Est-ce que l'acquisition concerne le savoir, le savoir-faire ou le savoir-être ?... Ces interrogations doivent par exemple, dans le domaine de la formation, précéder le recours au catalogue des produits et programmes de formation...

7. **CHOISIR LE BON CANAL DE COMMUNICATION...**
Il y a toujours plusieurs manières pour transmettre une information ou faire acquérir une nouvelle compétence professionnelle. Le processus de communication (moyens mis en œuvre, choix du moment...) s'avère tout aussi important dans la réussite finale que la fiabilité du message en lui-même...

8. **SOIGNER LA FORME AUTANT QUE LE FOND...**
Au-delà de l'adéquation du dispositif d'information ou de formation aux besoins identifiés, il serait inconscient de ne pas considérer la mise en scène des idées comme déterminante dans la compréhension et l'acceptation de celles-ci...

9. **PROFESSIONNALISER L'EXPRESSION ÉCRITE...**
La formalisation d'une procédure technique ou d'un rapport budgétaire est un exercice délicat. Mais la rigueur qu'exige une note de service n'est-elle pas tout en elle-même un élément vital de l'efficacité...

10. **ACQUÉRIR LA COMPÉTENCE DU PÉDAGOGUE...**
Le transfert d'une compétence ne s'exerce pas aussi facilement qu'on peut l'imaginer à première vue. Le savoir-faire pédagogique va devenir dans les années à venir une compétence elle-même très recherchée...

BIBLIOGRAPHIE SUR LE THÈME	RECUEIL ET STRUCTURATION DE L'INFORMATION	TRANSMISSION ET PRÉSENTATION DE L'INFORMATION	FORMATION ET DÉVELOPPEMENT DES COMPÉTENCES
• CURCIO et CHAUVIN : *Classement efficace, dictionnaire et méthodes,* Editions d'Organisation, Paris,1987	×		
• BRAUMAN A. : *Classement pratique,* Editions Hommes et Techniques, Paris, 1977	×		
• COLLET D., LANSIER P. et OLLIVIER D. : *Objectif Zéro Défaut,* E.M.E., Paris, 1989	×		
• SIMONNET Renée et Jean : *La Prise de notes intelligente,* Editions d'Organisation, Paris, 1988	×		
• RICHAUDEAU F. et GAUQUELIN M. et F. : *Une méthode moderne pour apprendre sans peine la lecture rapide,* Marabout Service Verviers, 1972	×		
• SIRE J.C. : *Lecture rapide, la méthode flexivel,* Editions d'Organisation, Paris, 1989	×		
• SAINDERICHIN S. : *Ecrire pour être lu,* E.M.E., Paris 1985		×	
• TIMBAL DUCLAUX L. : *La Méthode S.P.R.I.,* Edition Retz, 1983		×	
• MARRET, SIMONNET J. et SALZER : *Ecrire pour agir,* Editions d'Organisation, Paris, 1988		×	
• TIMBAL DUCLAUX L. : *L'Expression écrite, écrire pour communiquer,* E.S.F., Paris, 1981		×	
• GORDON T. : *Cadres et Dirigeants efficaces,* Belfond, Paris, 1980		×	×
• GONDRAND F. : *L'Information dans les Entreprises et les Organisations,* Editions d'Organisation, Paris, 1983		×	×
• GOGUELIN P. : *La Formation continue des adultes,* P.U.F., Paris, 1970			×
• CLOUZOT O., BLOCH A. : *Apprendre autrement, 7 clés pour le développement personnel,* Editions d'Organisation, Paris, 1981			×
• LEPLAT J., ENARD C., WEILL-FASINA A. : *La Formation par l'apprentissage,* P.U.F., Paris, 1970			×
• LEMAITRE P. et MAQUERE F. : *Savoir apprendre,* Edition Chotard, Paris, 1986	×		×

56	TECHNIQUES ET OUTILS D'INFORMATION ET DE FORMATION
RECUEIL ET STRUCTURATION DE L'INFORMATION	CONSTITUTION D'UNE DOCUMENTATION

UTILITÉ

Une documentation personnelle est d'autant plus utile que l'information sur laquelle elle porte est d'un usage fréquent. Elle est d'autant plus rentable quand nous ne disposons que de moments brefs (et non de longues périodes) pour la collecter et l'exploiter...

MODE D'EMPLOI

1. Afin de stimuler le recueil de l'information, identifier vos besoins actuels et futurs et créer des chemises pour structurer leur classement.
2. Disposer d'une liste des organismes et publications afin de pouvoir en cas de besoin les contacter rapidement sur le sujet concerné.
3. Tenir à jour et approfondir vos connaissances sur les domaines liés à votre activité professionnelle en recoupant des sources différentes, des points de vue, des faits...
4. Rendre exploitable l'information exige de faire dès que possible des synthèses. Ne conserver qu'après avoir vérifié l'utilité actuelle ou future du document.
5. En phase active, identifier à partir du Q.Q.O.Q.C. la méthode d'investigation à retenir (QUOI, QUAND, OÙ, QUI, COMMENT...) et constituer ainsi votre plan de collecte.

CONDITIONS D'EFFICACITÉ

Une documentation personnelle vise deux buts complémentaires : informer ou s'informer rapidement et complètement sur des domaines évolutifs et complexes. En cela, elle doit être accessible aux collaborateurs, exception faite des documents confidentiels...

TECHNIQUES ET OUTILS D'INFORMATION ET DE FORMATION	57
RECUEIL ET STRUCTURATION DE L'INFORMATION	**PLAN DE CLASSEMENT**

UTILITÉ

L'information est dans notre univers professionnel une matière première de plus en plus difficile à gérer. La notion de classement intègre trois phases successives : trier en fonction de l'utilité, structurer l'information selon une logique d'utilisation et positionner le document suivant un critère d'ordre...

MODE D'EMPLOI

1. Choisir la méthode de classement (alphabétique, numérique, thématique...) en fonction de vos besoins d'utilisateur (consultation rapide, analyse approfondie, actes de preuve...).
2. Constituer des modes de classement en fonction de la fréquence de sortie : un classement pour les documents à usage fréquent, un classement pour les documents à utilisation aléatoire.
3. Sélectionner les documents en fonction de l'utilité actuelle ou future, en sachant que l'essentiel n'est pas de posséder l'information mais de savoir où l'obtenir en cas de besoin.
   Effectuer par ailleurs, 2 ou 3 fois par an dans votre classement, une élimination systématique des documents périmés ou inutiles.
4. Lorsqu'un document important peut être classé à deux endroits différents, utiliser pour faciliter les recherches une fiche fantôme mentionnant le lieu exact de l'information. Utiliser la même technique pour les emprunts temporaires lorsque plusieurs personnes travaillent autour de la même base de données.
5. Pour faire vivre votre classement, faciliter le rangement par la pratique immédiate d'un pré-classement dans des chemises prévues à cet effet. Effectuer le classement définitif dans un délai rapide (classer de petites quantités est plus rentable en temps et moins fastidieux).

CONDITIONS D'EFFICACITÉ

Un classement doit être clair (utilisable par tous), simple et facile (un minimum de manipulation, un respect permanent de l'ordre), accessible (rapide d'accès, mise à jour en temps réel) et souple (possibilité d'extension)...

58	TECHNIQUES ET OUTILS D'INFORMATION ET DE FORMATION
RECUEIL ET STRUCTURATION DE L'INFORMATION	**COLLECTE D'INFORMATION**

UTILITÉ
Concevoir une nouvelle procédure ou une campagne commerciale, ou bien analyser en profondeur une anomalie ou une demande, exigent une collecte d'informations objective et adaptée au but poursuivi.

MODE D'EMPLOI

1. Il faut se méfier de ses certitudes. Se purger des *a priori,* opinions, déductions hâtives. Les points de vue ne doivent pas être confondus avec les aspects (observables).
2. Ne pas confondre recherche et critique de données. Ces deux actions sont chronologiques et non pas simultanées : ne pas sélectionner immédiatement sinon il y a appauvrissement.
3. Exhaustivité ne veut pas dire profusion : un développement quantitatif de l'information entraîne souvent une déperdition qualitative de la décision. Il faut se cantonner à ce qui est utile...
4. Structurer votre prise de note pour en faciliter ensuite l'exploitation (par exemple, à partir du Q.Q.O.Q.C., voir la fiche sur le plan de collecte).
5. Clarifier dès le début votre objectif et votre stratégie d'enquête :
   - démarche systématique (se poser des questions à partir d'une classification structurée),
   - approche sédimentaire (enrichissement par touches successives),
   - ou bien encore focalisée (à partir d'une ou plusieurs hypothèses).

CONDITIONS D'EFFICACITÉ

Comprendre avant d'agir... Afin d'éviter de prendre une fausse piste, il est déterminant de ne pas brûler les étapes, et de mener l'enquête avec méthode et rigueur...

TECHNIQUES ET OUTILS D'INFORMATION ET DE FORMATION	59

RECUEIL ET STRUCTURATION DE L'INFORMATION	PLAN DE COLLECTE

UTILITÉ

La collecte de l'information représente un domaine privilégié d'optimisation. En effet, il n'est pas simple de recueillir avec systématisme l'information nécessaire pour mener une étude ou régler un problème, sans tomber dans le piège de l'exhaustivité et/ou celui de la précision excessive...

MODE D'EMPLOI

1. Etablir une première liste d'informations à collecter à partir du Q.Q.O.Q.C. : QUI (les acteurs), QUOI (de Quoi s'agit-il ? : les tâches, les opérations...), OU (le lieu : l'unité de travail, la disposition spatiale...), QUAND (le temps : le moment, le cycle...), COMMENT (la méthode : le mode opératoire, le circuit, les techniques...).
2. Repérer les informations déjà existantes (rapports, statistiques, procédures...) et les points restant à éclaircir pour disposer de la connaissance recherchée (le niveau de précision souhaité).
3. Etablir la liste chronologique des enquêtes à réaliser et des interlocuteurs à contacter.
4. Analyser l'information collectée afin de la rendre homogène (classement) et opérante (synthèse). Vérifier si le niveau de précision ainsi que l'éventail d'information correspond bien à votre besoin d'investigation.
5. Pour éviter le risque de subjectivité, valider l'information recueillie sur les points clefs ou sur certains aspects restés obscurs par une quantification du phénomène.
6. La collecte d'information est achevée lorsqu'il vous semble possible de passer à l'étape suivante : l'analyse des causes pour la résolution d'un problème, ou la recherche des modalités de mise en place en ce qui concerne un travail de conception.

CONDITIONS D'EFFICACITÉ

« Se trouver noyé sous l'information... » est le principal piège d'une collecte d'information. Pour éviter cette situation, gardez toujours en mémoire l'objectif visé...

60	TECHNIQUES ET OUTILS D'INFORMATION ET DE FORMATION

RECUEIL ET STRUCTURATION DE L'INFORMATION	RELEVÉ DES DONNÉES

UTILITÉ
La connaissance objective d'un phénomène (temps d'attente, volume d'erreurs, délai de traitement...) exige dans certaines conditions la mise en place d'une quantification simple...

MODE D'EMPLOI

1. Déterminer avec rigueur la nature et le niveau de précision des informations à recueillir pour définir les modalités de mise en œuvre du relevé.
2. Choisir le mode de classement et la typologie des éléments permettant de cerner au mieux le phénomène étudié : classement par type d'erreurs, par période de temps...
3. Fixer la durée du relevé en fonction de la fréquence d'apparition du phénomène et des variations prévisibles.
4. Etablir la fiche de relevé en privilégiant des rubriques de classement suffisamment fines pour ensuite pouvoir analyser efficacement la situation. La simplification s'effectue plutôt *a posteriori*.
5. Recueillir l'information sous forme de bâtonnets selon les modalités définies initialement (systématique, méthode des observations instantanées...).

CONDITIONS D'EFFICACITÉ

Si ce travail d'analyse est confié à une autre personne, il est essentiel de bien expliquer dès le départ le but de l'opération et l'importance d'une saisie rationnelle...

RELEVE DES DONNEES

APPELS TELEPHONIQUES RECUS PAR LE SERVICE

DATE : 10/10

HORAIRES / OBJETS	9/10	10/11	11/12	14/15	15/16	16/17	17/18	TOTAL
BESOINS D'INFOS CLIENTELE								20
APPELS DU RESEAU COMMERCIAL								51
RECLAMATIONS DE LA CLIENTELE								6
COORDINATION AVEC D'AUTRES SERVICES								18
DIVERS								6
TOTAL	13	16	17	6	16	17	16	101

61 TECHNIQUES ET OUTILS D'INFORMATION ET DE FORMATION

RECUEIL ET STRUCTURATION DE L'INFORMATION	INTERVIEW SEMI-DIRECTIF

UTILITÉ

Nous sommes tous confrontés à la nécessité de recueillir des informations auprès de nos clients, fournisseurs, hiérarchiques... L'interview semi-directif impose à la fois la rigueur et la flexibilité d'une communication interactive...

MODE D'EMPLOI

1. Ne pas négliger la phase de préparation (cadrage du T.O.P., voir fiche sur la préparation des réunions et entretiens) afin d'élaborer notamment un guide d'entretien.
2. Commencer la réunion en présentant votre objectif et votre plan d'entretien. Veillez à obtenir l'accord de votre interlocuteur sur le cheminement proposé en expliquant (si nécessaire) vos motivations personnelles.
3. Structurer l'échange en commençant par un sujet simple à traiter (mise en train), utiliser ensuite en alternance **des questions ouvertes** (Quel est votre sentiment ?...), **des questions fermées** (Etes-vous d'accord ... ?) **ou alternatives** (Dans l'immédiat ou plus tard ?...).
4. Faciliter l'expression de votre interlocuteur (voir fiche sur *Ecouter et fixer votre attention*) en maintenant l'échange sur des bases objectives (des faits, pas d'opinion...). Eviter un jugement hâtif ou une interprétation des propos tenus (phénomène de déduction).
5. Permettre à l'interlocuteur de faire le point sur l'avancement de l'entretien par des reformulations sur les aspects importants ou complexes, et des synthèses à la fin de chacune des parties et en conclusion.

CONDITIONS D'EFFICACITÉ

Compte tenu de la tension nerveuse que suppose un tel entretien, nous conseillons de ne pas « jouer les prolongations ». La durée maximale est de 2 heures...

TECHNIQUES ET OUTILS D'INFORMATION ET DE FORMATION — 62

RECUEIL ET STRUCTURATION DE L'INFORMATION

ENQUÊTE PAR QUESTIONNAIRE

UTILITÉ

L'organisation interne d'une entreprise repose de plus en plus sur des relations contractuelles de type client/fournisseur. Dans ce cadre, l'enquête de satisfaction par questionnaire devient un outil dans l'évaluation des performances d'un service ou d'une fonction disposant d'un grand nombre de clients...

MODE D'EMPLOI

1. Fixer les objectifs et les limites de l'étude.
2. Poser des questions précises mais neutres dans leur contenu (les questions induisent les réponses...) et limiter le nombre de questions (10 maximum) afin d'éviter le phénomène de saturation. Pour motiver à répondre, commencer toujours par une question d'ordre général et dont la réponse est facile à fournir.
3. Proposer une grille d'évaluation des performances avec 5 niveaux différents et comptabiliser selon l'approche N.S.I. les résultats obtenus en pourcentage par le coefficient appliqué à chaque note **(Très satisfait = 100 %, Satisfait = 75 %, Moyennement satisfait = 50 %, Peu satisfait = 25 %, Pas satisfait = 0 %).**
   Exemple de taux de satisfaction : 15 % × 100 % + 45 % × 75 % + 25 % × 50 % + 15 % × 25 % = 65 %.
3. Tester votre questionnaire auprès de quelques destinataires avant de le diffuser plus largement. Ne pas oublier ensuite d'informer les personnes sollicitées par ce questionnaire des résultats obtenus.
4. Laisser toujours une rubrique ouverte pour permettre les commentaires ou suggestions.
5. Renouveler l'opération à fréquence régulière afin de constituer un historique et apprécier l'évolution des réponses dans le temps.

CONDITIONS D'EFFICACITÉ

Définir préalablement les points essentiels du questionnaire afin de mener une analyse ciblée et sélective...

63	TECHNIQUES ET OUTILS D'INFORMATION ET DE FORMATION
RECUEIL ET STRUCTURATION DE L'INFORMATION	PRISE DE NOTE EN RÉUNION OU ENTRETIEN

UTILITÉ

L'efficacité oblige à garder des traces fidèles et précises du contenu d'une réunion ou d'un entretien. La prise de notes devient alors une technique précieuse...

MODE D'EMPLOI

1. Etre disponible mentalement : se concentrer sur le message de l'orateur, ne pas émettre d'opinions personnelles, ne pas se bloquer sur les points difficiles...
2. Se fixer un objectif pour orienter sa prise de notes : ne s'intéresser qu'au fond pas à la forme, trouver des réponses à des questions précises, repérer ce qui n'est pas connu...
3. Dégager la structure de la pensée : repérer le processus de pensée (les étapes), les liaisons entre les idées, les idées-forces (ne pas se laisser noyer sous la masse)...
4. Ne pas tout noter : utiliser une technique d'écriture accélérée (abréviations, style télégraphique), éliminer les éléments redondants et détails inutiles (hors-sujet, anecdotes...).
5. Faciliter la lecture a posteriori : écrire lisiblement, utiliser des schémas, aérer le texte, soigner la mise en page, ne pas écrire recto-verso...

CONDITIONS D'EFFICACITÉ

Pour une exploitation ultérieure de cette prise de notes, nous conseillons d'enrichir le contenu de celle-ci par une lecture presque immédiate...

TYPOLOGIE DES PRINCIPAUX SYMBOLES RELATIONNELS

NATURE DE LA RELATION	SYMBOLES RELATIONNELS
EQUIVALENCE	= égale // parallèle > supérieur à ... < inférieur à # peu différent de ≠ différent de ... ± approximativement égal à ≡ identique à
INCLUSION	() ou C inclusion Σ appartenance ∩ intersection ∪ union ⊐ contenance + plus } entre deux éléments - moins } entre deux éléments
EVOLUTION	↗ accroissement ↘ décroissement ∿↗ varie + hausse } s'appliquant à un élément isolé - baisse } s'appliquant à un élément isolé
INFLUENCE	- - → succession temporelle → causalité ⇒ implication ↕→ interaction ↛ sans effet sur ...
NUANCIATION	? incompréhension ?? doute ~ négation ! importance !! indignation

64	TECHNIQUES ET OUTILS D'INFORMATION ET DE FORMATION

RECUEIL ET STRUCTURATION DE L'INFORMATION	LECTURE SÉLECTIVE

UTILITÉ

Sans recours à l'apprentissage « scientifique » de la lecture rapide, il est possible d'améliorer quantitativement et qualitativement sa performance par une lecture sélective...

MODE D'EMPLOI

1. S'entraîner à lire vite (plus on lit, plus on sait lire), choisir ses moments et ses lieux de lecture, incliner le document vers vous plutôt que de pencher la tête.
2. Ne pas prononcer mentalement, lire les groupes de mots en réduisant les temps d'arrêt et de fixation, et pour éviter les retours en arrière, suivre avec le doigt (ou un crayon) le texte, ou surligner les points essentiels.
3. Déterminer à l'avance votre objectif de lecture, pratiquer une lecture plus globale qu'analytique en survolant en quelques secondes le contenu pour en comprendre la structure globale (sommaire, conclusion) et l'importance relative des différentes parties.
4. Savoir moduler le rythme et changer de vitesse en fonction du niveau d'intérêt. S'habituer à élargir son champ visuel par un balayage horizontal, vertical ou diagonal (début de paragraphe, verbe...).
5. Rédiger une fiche de lecture ou annoter l'ouvrage pour faciliter ensuite une éventuelle relecture. Si la lecture du document concerne plusieurs personnes, mettre en place un système de résumés rédigés à tour de rôle par les intéressés, selon une présentation standard définie préalablement.

CONDITIONS D'EFFICACITÉ

Privilégier les idées au vocabulaire utilisé, le fond à la forme... voilà la manière la plus efficace pour rester concentré sur sa lecture...

TECHNIQUES ET OUTILS D'INFORMATION ET DE FORMATION — 65

RECUEIL ET STRUCTURATION DE L'INFORMATION | **FICHE DE LECTURE**

UTILITÉ

Certains spécialistes affirment qu'une bonne fiche de lecture – à l'instar de l'anti-sèche – ne nécessite même plus d'être relue pour être parfaitement mémorisée...

MODE D'EMPLOI

1. Créer une fiche standard et respecter ensuite la présentation choisie (sur une page recto-verso maximum : titre, sous-titre, objectif, démarche, idées-forces...).
2. Effectuer cette synthèse avec votre vocabulaire en illustrant la démarche par une représentation visuelle : processus, circuit, etc.
3. Définir le contenu à partir d'une analyse objective (ce qui est dit) et non pas subjective (ce qui m'intéresse) en repérant le raisonnement de l'auteur et les enchaînements logiques du texte. Respecter scrupuleusement la structure et le plan de l'auteur.
4. Utiliser certains symboles graphiques pour attirer à la relecture votre attention (exemples : la forme d'une lampe pour une idée importante, celle d'un marteau pour un concept, etc.) et les procédés mnémotechniques. Surligner au fur et à mesure les phrases importantes.
5. Elaborer votre fiche à l'issue de la lecture. Avec le recul, ne mentionner que ce qui correspond réellement à la problématique de l'ouvrage.
6. Faire apparaître de manière isolée vos propres conclusions sur l'intérêt du document (évaluation des forces et faiblesses, questions restées en suspens...) dans une rubrique spécialement consacrée à cette finalité.

CONDITIONS D'EFFICACITÉ

Il faut garder à l'esprit que l'objectif n'est pas de conserver des monceaux de connaissances mais plutôt de retenir un raisonnement ou mode de pensée...

66	TECHNIQUES ET OUTILS D'INFORMATION ET DE FORMATION

TRANSMISSION ET PRÉSENTATION DE L'INFORMATION	TABLEAU RÉCAPITULATIF DES OUTILS DE L'INFORMATION

UTILITÉ

Informer est un art difficile pour celui qui s'y essaie. La première difficulté consiste à choisir le support ou moyen d'information le mieux adapté à la situation et aux besoins des intéressés...

MODE D'EMPLOI

1. Recenser en vrac tous les besoins d'information auxquels vous êtes confrontés dans l'exercice de votre fonction : maîtriser une nouvelle procédure, comprendre les finalités d'un nouveau produit, situer l'activité de l'unité...
2. Obtenir une liste homogène en regroupant ensemble les points apparentés, c'est-à-dire présentant les mêmes caractéristiques et le même degré de difficulté...
3. Lister les méthodes d'information utilisables dans la fonction : briefing, affichage, flash d'information, réunion de service...
4. Construire un tableau à double entrée avec en ligne les besoins d'informations et en colonne les méthodes disponibles. En croisant les deux aspects, il est possible d'identifier les différentes options envisageables.
5. Choisir en situation pour le besoin concerné le moyen ressenti comme le plus adéquat du fait de l'importance et de l'urgence...

CONDITIONS D'EFFICACITÉ

Un tel support apporte lors de la préparation d'une communication orale et écrite la garantie d'une meilleure adéquation de la méthode au besoin identifié. Il permet aussi d'éviter la routine et l'utilisation trop systématique d'une pratique...

TABLEAU RÉCAPITULATIF DES OUTILS DE L'INFORMATION

BESOINS \ MOYENS	INFO SPONTANÉE	BRIEFING	ENTRETIEN INDIVIDUEL	RÉUNION D'INFORMATION	RÉUNION D'ÉCHANGE	NOTE INTERNE	CIRCULAIRE	AFFICHAGE	BOITE AUX IDÉES	COMPTE-RENDU	FLASH D'INFO	JOURNAL D'ENTREPRISE
Comprendre la Politique générale (stratégie)			×	×			×					×
Situer l'activité du service (Quantité, Qualité)				×	×							
Maitriser les nouvelles procédures		×				×		×			×	
Actualiser sa connaissance des produits et services			×	×				×				
Disposer de consignes précises et claires sur la réalisation des tâches		×		×		×	×		×	×		
Participer à la réflexion sur l'organisation en place					×							
Situer sa performance personnelle			×									
Connaître l'environnement professionnel (autres unités, concurrence)				×							×	×
Comprendre la finalité des nouveaux produits et services	×		×		×							
Exprimer son ressenti et sa perception des événements	×	×										
Connaître les avantages sociaux et activités extra-professionnelles							×	×				
Traiter rapidement les petits problèmes d'intendance	×	×						×				
Situer les attentes de la hiérarchie vis-à-vis de soi-même			×									
Echanger avec les collègues sur les méthodes de travail					×							
Appréhender l'avenir (changement perspectives...)										×		×

67 TECHNIQUES ET OUTILS D'INFORMATION ET DE FORMATION

TRANSMISSION ET PRÉSENTATION DE L'INFORMATION	PRÉPARATION D'UNE DIRECTIVE

UTILITÉ

Dans l'entreprise, la transmission d'une directive s'effectue dans 3/4 des cas de manière orale. Cette approche est certes moins coûteuse que l'écrit, mais elle est plus difficile à maîtriser tant pour l'émetteur que pour le récepteur...

MODE D'EMPLOI

1. Evaluer le niveau de difficulté que suppose la transmission d'une directive en fonction de son degré d'importance (est-elle vitale ? importante ? secondaire ?...) ou en fonction de la complexité de sa mise en œuvre ultérieure.
2. En cas d'enjeu particulier, évaluer l'impact que peut provoquer l'information transmise sur le savoir, savoir-faire ou savoir-être du récepteur. Cette situation oblige à s'interroger sur trois aspects :
   - le **niveau de perception,** « les précautions à prendre pour être compréhensible ?... » ;
   - le **niveau d'acceptation,** « les réticences de l'intéressé ?... » .
   - le **niveau d'intégration,** « les difficultés pratiques de la mise en application ?... ».
3. Si l'application de la directive présente un risque potentiel d'échec, il faut définir avec précaution les moyens à mettre en œuvre à partir :
   - du **choix du moment** (quand ?...) : selon le degré d'urgence, choisir le délai et le mode de transmission de la directive ;
   - de la **durée de vie de l'information** (combien de temps ?...) : étapes intermédiaires, fréquence des rappels et contrôles...
4. Elaborer à partir de ces éléments le contenu de la communication et ses modalités.

CONDITIONS D'EFFICACITÉ

Il faut savoir différencier le traitement de l'information procédurière (sans enjeu particulier) de l'information dite événementielle. La capacité à mobiliser efficacement est en relation étroite avec cette exigence...

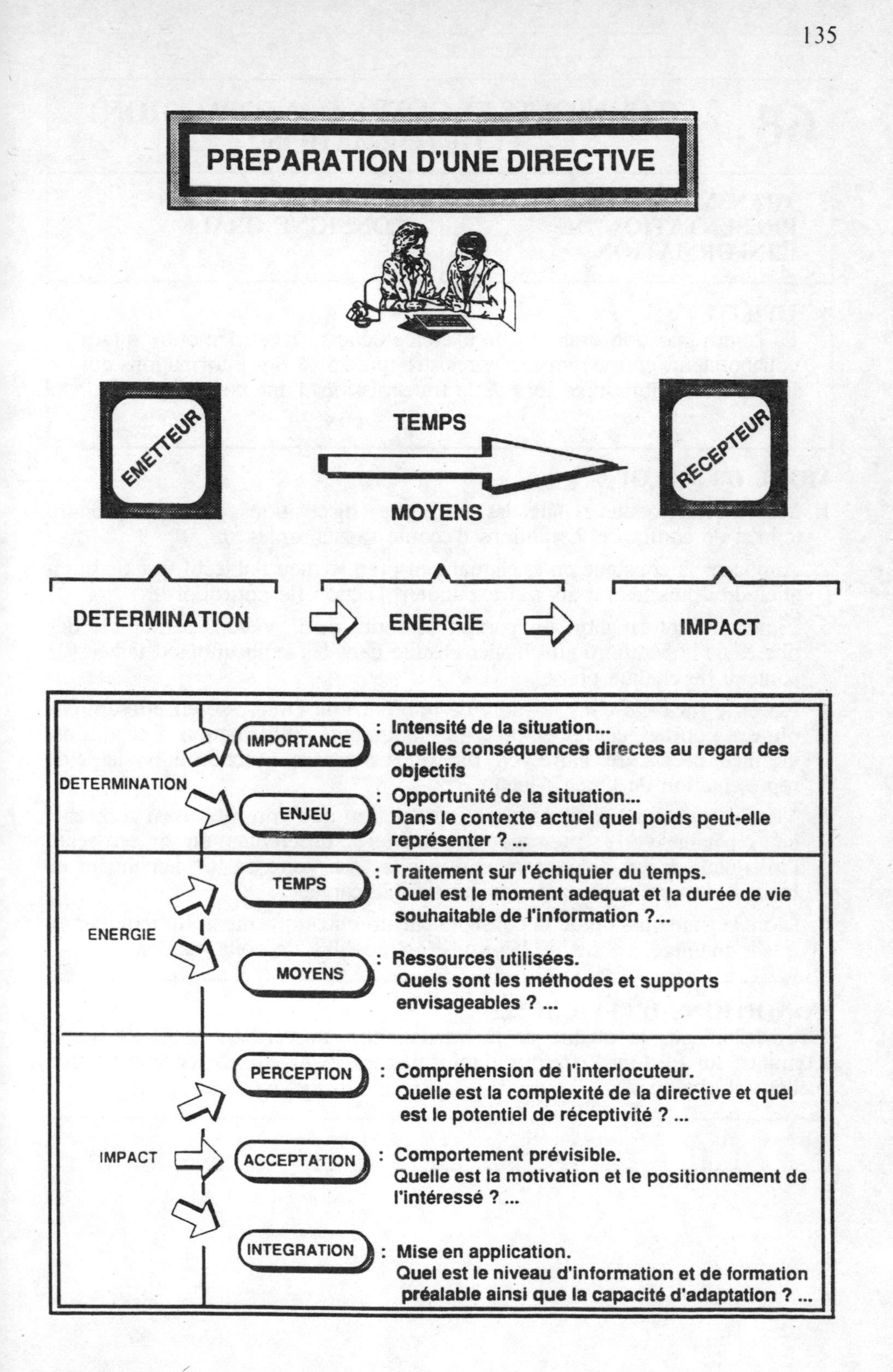
PREPARATION D'UNE DIRECTIVE
EMETTEUR
TEMPS
MOYENS
RECEPTEUR
DETERMINATION
ENERGIE
IMPACT
DETERMINATION
IMPORTANCE
: Intensité de la situation...
Quelles conséquences directes au regard des objectifs
ENJEU
: Opportunité de la situation...
Dans le contexte actuel quel poids peut-elle représenter ? ...
ENERGIE
TEMPS
: Traitement sur l'échiquier du temps.
Quel est le moment adequat et la durée de vie souhaitable de l'information ?...
MOYENS
: Ressources utilisées.
Quels sont les méthodes et supports envisageables ? ...
IMPACT
PERCEPTION
: Compréhension de l'interlocuteur.
Quelle est la complexité de la directive et quel est le potentiel de réceptivité ? ...
ACCEPTATION
: Comportement prévisible.
Quelle est la motivation et le positionnement de l'intéressé ? ...
INTEGRATION
: Mise en application.
Quel est le niveau d'information et de formation préalable ainsi que la capacité d'adaptation ? ...

68	TECHNIQUES ET OUTILS D'INFORMATION ET DE FORMATION
TRANSMISSION ET PRÉSENTATION DE L'INFORMATION	TRANSMISSION D'UNE CONSIGNE ORALE

UTILITÉ

La communication orale est un exercice délicat : il est démontré qu'un collaborateur, en moyenne, n'enregistre que 25 % des informations qui lui sont communiquées lors de la transmission d'une consigne orale...

MODE D'EMPLOI

1. Mettre l'interlocuteur dans les meilleures dispositions pour comprendre (climat de confiance, conditions d'écoute satisfaisantes...).
2. Annoncer la consigne en expliquant en premier lieu l'objectif visé (le but à atteindre) puis les motifs qui expliquent l'action (le pourquoi ?).
3. Présenter l'information en partant toujours de la vision d'ensemble (les phases de l'opération) afin d'aller ensuite dans les explications détaillées (le contenu de chaque phase).
4. Placer le message dans le cadre de référence de l'intéressé en utilisant des phrases courtes, claires et précises en limitant l'information à ce qui est vraiment nécessaire. Faire voir, dire ou ressentir en fonction du système de représentation de l'interlocuteur.
5. Vérifier à chaque étape de votre présentation que vous êtes bien compris : en répétant votre message de manière différente, en interrogeant l'interlocuteur sur sa compréhension effective, voire en lui demandant de bien vouloir reformuler ce qui lui semble capital...
6. Clore la transmission de la consigne par un encouragement, lui indiquer de quelle manière, en cas de besoin, il est possible de vous joindre.

CONDITIONS D'EFFICACITÉ

Etre vigilant sur la qualité de la transmission en vérifiant toujours par la technique du feed-back (retour d'information) le niveau de compréhension réellement obtenu...

TECHNIQUES ET OUTILS D'INFORMATION ET DE FORMATION	69
TRANSMISSION ET PRÉSENTATION DE L'INFORMATION	**L'EXPOSÉ**

UTILITÉ

Amener un auditoire à penser et/ou agir à la suite d'un exposé exige une présentation soignée et la maîtrise de quelques techniques de communication.

MODE D'EMPLOI

1. La préparation est essentielle : la connaissance des attentes et besoins des participants joue un rôle clef dans le choix du style à adopter et l'agencement des idées.
2. Le corps est un outil de communication : utiliser à bon escient les gestes, le regard et l'expression du visage ; moduler la voix en maîtrisant volume, vitesse d'expression, articulation, intonation...
3. Annoncer dès le départ le plan de votre intervention et vos règles de fonctionnement (échanges d'idées...). Utiliser au mieux le silence pour développer l'attention de l'auditoire ainsi que des supports visuels suggestifs mais pas trop informatifs (transparents par exemple) pour rythmer votre présentation.
4. Ne pas hésiter à clarifier le vocabulaire utilisé et choisir de préférence des phrases courtes à structure grammaticale simple. Renforcer l'impact de vos démonstrations par des illustrations concrètes et situer seulement dans un second temps la dimension théorique de vos propos.
5. Présenter sous des éclairages complémentaires les aspects essentiels de votre présentation et faciliter la compréhension par des mini-synthèses (alterner entre support visuel, démonstration théorique et exemples concrets pour montrer, dire et faire ressentir).
6. Conclure votre intervention sur une incitation à agir ou à réagir.

CONDITIONS D'EFFICACITÉ

Il faut atteindre trois objectifs : accrocher l'attention, maintenir l'attention et faciliter la compréhension. Et ne pas perdre de vue que le premier contact est « physique » avant d'être intellectuel...

70	TECHNIQUES ET OUTILS D'INFORMATION ET DE FORMATION
TRANSMISSION ET PRÉSENTATION DE L'INFORMATION	**RÉDACTION D'UNE NOTE DE SERVICE**

UTILITÉ

Diffuser une information écrite devient un moyen rentable dès lors que celle-ci s'adresse à plusieurs personnes, et/ou que sa durée de conservation justifie un tel investissement...

MODE D'EMPLOI

1. Afin de ne pas « banaliser ce mode d'expression », n'utilisez ce moyen que lorsqu'il est véritablement utile (sachez différencier l'information événementielle de l'information procédurière...).
2. Limiter la diffusion de la note aux destinataires que l'on souhaite informer. Un ciblage précis assure une meilleure adéquation du document aux attentes et au vocabulaire des intéressés.
3. Utiliser une présentation standard pour faciliter la lecture des destinataires, annoncer d'entrée le but du document et son moyen d'identification (code, numéro d'ordre...), en précisant s'il s'agit d'une note pour **action** ou **information** et si ce support **annule** ou **remplace** un autre document.
4. Adopter une mise en page opérante (dès le début, mettre en valeur l'objectif et vos préconisations...), aérée (espacement et encadré...) avec des titres pleins, des schémas pour mettre en relief les points clefs de votre démonstration.
5. Pour assurer une compréhension satisfaisante, ne dépassez pas en volume un recto-verso, utilisez des phrases courtes (pas plus de 20 mots), une forme directe et une ponctuation rythmant efficacement le texte proposé.

CONDITIONS D'EFFICACITÉ

Faire tester par des non-spécialistes ou l'un des destinataires la note de service avant l'envoi généralisé. Dans les grandes entreprises soumises à la prolifération, vérifier si cette note ne vient pas remettre en cause une note précédente...

NOTE DE SERVICE	N° D'ORDRE :
OBJET :	
ACTION / INFORMATION	ANNULE : ....
DATE D'EMISSION :	REMPLACE : ....
EMETTEUR :	DESTINATAIRE :

71 TECHNIQUES ET OUTILS D'INFORMATION ET DE FORMATION

TRANSMISSION ET PRÉSENTATION DE L'INFORMATION	PRÉSENTATION D'UN RAPPORT DE SYNTHÈSE

UTILITÉ

La qualité de la présentation intervient pour beaucoup dans l'appréciation d'un rapport de synthèse ou d'une étude. Certaines personnes n'hésitent-elles pas à dire que la forme compte autant que le contenu... ?

MODE D'EMPLOI

1. Adopter une chronologie de présentation conforme au besoin du destinataire : en premier, l'objet du manuscrit, puis vos conclusions, et seulement ensuite le développement (l'analyse des faits, la démonstration)...
2. Rechercher dès le début la construction d'ensemble de votre rapport : les étapes, la mise en page, les graphiques ou illustrations souhaitables...
3. Utiliser un style direct, précis et concret : des phrases courtes, limitant au minimum l'utilisation des adjectifs, adverbes et substantifs...
4. Choisir des titres « pleins » porteurs de sens et d'un maximum d'informations (préférer « Une rentabilité difficile... » à « Résultats financiers »). Ils facilitent ainsi la compréhension par une meilleure mise en relief des éléments...
5. Ne pas négliger de « rythmer » votre document par une utilisation rationnelle de la ponctuation : point, point d'interrogation ou d'exclamation, point-virgule, deux points, tirets...
6. Lire la fiche n° 20 « Argumentation d'un dossier » pour les conseils pratiques liés au contenu du support.

CONDITIONS D'EFFICACITÉ

Le secret réside dans la volonté de mettre en œuvre deux qualités essentielles : attractivité du texte et accessibilité du contenu. Pour y parvenir, sachez vous mettre à la place du lecteur...

L'ENJEU DE LA SITUATION *(5 à 10 lignes)*	LES INFORMATIONS UTILES POUR CADRER LE CONTEXTE SPECIFIQUE DE LA SITUATION ET DECRIRE L'UTILITE OU L'INTERET DU RAPPORT ...
LA PROBLEMATIQUE ETUDIEE *(5 à 10 lignes)*	LA PROBLEMATIQUE EXPRIME LE BUT VISE PAR L'ANALYSE (RESULTAT ATTENDU) AINSI QUE LA PRESENTATION DE LA SITUATION INITIALE (L'ETAT INSATISFAISANT)...
LES CONCLUSIONS DE L'ANALYSE *(5 à 10 lignes)*	DANS UN SOUCI EVIDENT DE SYNTHESE, VOS CONCLUSIONS SONT PRECISES MAIS SUCCINTES. ELLES DOIVENT APPORTER UNE SOLUTION CONCRETE AUX QUESTIONS OU DYSFONCTIONNEMENTS PRESENTES PREALABLEMENT.
L'ANALYSE DES FAITS *(variable)*	CETTE DERNIERE PARTIE PROPOSE LE CHEMINEMENT DE L'ANALYSE (LA METHODE...) PERMETTANT DE PASSER DE LA PROBLEMATIQUE AUX CONCLUSIONS. FACILITER LA COMPREHENSION PAR UNE PRESENTATION VISUELLE DES INFORMATIONS CLEFS ET UNE DEMONSTRATION DU BIEN-FONDE DES CHOIX EFFECTUES.

72	TECHNIQUES ET OUTILS D'INFORMATION ET DE FORMATION

TRANSMISSION ET PRÉSENTATION DE L'INFORMATION | **FORMALISATION D'UNE PROCÉDURE**

UTILITÉ

La qualité de la formalisation joue pour une procédure un rôle considérable dans sa diffusion, son acceptation et sa mise en application. Le but est de montrer que la méthode est accessible et facilitatrice...

MODE D'EMPLOI

1. Construire un plan structuré reprenant de manière chronologique les différentes séquences de la procédure de travail.
2. Sélectionner le volume d'information à transmettre en fonction des besoins de l'utilisateur (par exemple, différencier la procédure normale – ce qui se passe le plus souvent – des cas particuliers).
3. Créer le plaisir de consulter par une mise en page agréable et rationnelle. Faciliter au maximum un repérage immédiat de l'information par une table de matières, des aides visuelles, un index des mots-clefs.
4. Limiter les phrases à 20 mots maximum. Ne retenir qu'une idée principale par phrase. Eliminer les mots parasites et choisir le vocabulaire en fonction des connaissances préalables des utilisateurs.
5. Tester auprès d'un futur utilisateur la pertinence du support.

CONDITIONS D'EFFICACITÉ

Pourquoi faut-il que la présentation d'une procédure soit toujours synonyme d'ennui ?... N'est-il pas souvent ressenti comme plus facile de demander l'information de manière orale que de consulter la bible des procédures. La réhabilitation d'un tel support repose indéniablement sur sa mise en forme...

TECHNIQUES ET OUTILS D'INFORMATION ET DE FORMATION	73
TRANSMISSION ET PRÉSENTATION DE L'INFORMATION	INFORMATION AUDIOVISUELLE

UTILITÉ

La présentation de l'information sous une forme audiovisuelle (diaporama, mur d'images, film vidéo...) est devenue fréquente et accessible. Pour être pleinement efficace, elle exige le respect de certaines règles...

MODE D'EMPLOI

1. Définir la technique à utiliser en fonction du public, du message à transmettre, des moyens ou contraintes liés à la diffusion de l'information.
2. Définir les effets visés à partir de l'objectif global, puis clarifier les séquences, le contenu de chacune d'elle et le temps à y consacrer. Pour éviter toute confusion, l'écriture du scénario doit se faire autour d'une seule et unique idée-force.
3. Savoir que dans le film vidéo l'image est prépondérante, alors que dans un montage diapos ce sont plutôt les commentaires qui jouent le rôle central.
4. Une information audiovisuelle doit débuter par l'idée la plus large possible, puis progressivement se recentrer sur le sujet retenu.
5. Lors des prises de vues d'un film vidéo, effectuer des séquences suffisamment longues pour donner au mixage sa pleine dimension.
6. S'imposer une grande rigueur dans la prise du son et de l'image, la projection fait ressortir les erreurs plutôt que l'inverse.

CONDITIONS D'EFFICACITÉ

La qualité du travail en équipe joue un rôle essentiel dans la conception et la réalisation d'un tel support...

74 TECHNIQUES ET OUTILS D'INFORMATION ET DE FORMATION

TRANSMISSION ET PRÉSENTATION DE L'INFORMATION	PRÉSENTATION DES DONNÉES CHIFFRÉES

UTILITÉ

Un petit dessin vaut mieux qu'un long discours... Il n'y a rien de plus rébarbatif et de plus abstrait qu'une présentation de chiffres. De ce fait, la présentation des données chiffrées représente en soi une démarche de communication...

MODE D'EMPLOI

1. Considérer les destinataires de l'information comme des clients (leurs besoins d'information...) et mettre en scène les données en fonction de l'impact souhaité (forme écrite ou orale ?..., progressivité de la démonstration ?...).
2. Choisir la représentation graphique la plus adaptée pour décrire le phénomène (le diagramme de Pareto pour classer et hiérarchiser, le camembert pour situer les proportions, le graphique d'évolution pour expliquer l'historique d'une situation...).
3. Préférer autant faire se peut les valeurs absolues (heures de travail, francs, nombre d'erreurs...) que les pourcentages qui ne sont que des abstractions mentales.
4. Présenter une courbe d'évolution en fonction du but recherché (montante pour l'évolution du chiffre d'affaires, descendante pour la réduction des anomalies).
5. Respecter les normes chiffrées (ne pas jouer avec les échelles) ainsi que les conventions de présentation de votre entreprise.
6. Eviter de rendre complexe la lecture d'une représentation par des superpositions de courbes par exemple.

CONDITIONS D'EFFICACITÉ

Présentation et mise en valeur de l'information chiffrée ne signifie pas manipulation. Nous ne sommes pas de ceux qui pensent que la forme peut masquer le contenu...

REPRESENTATIONS VISUELLES

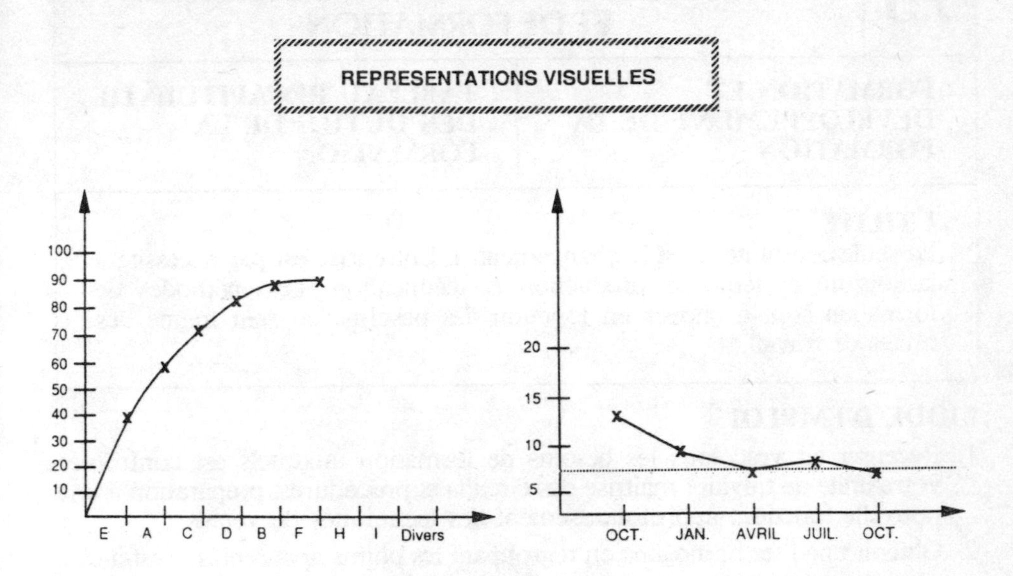

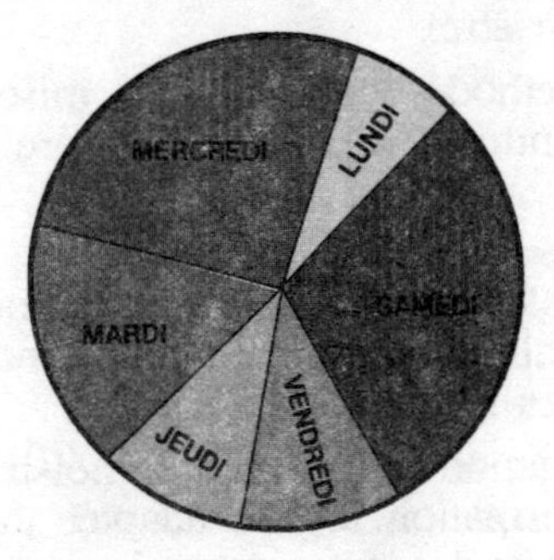

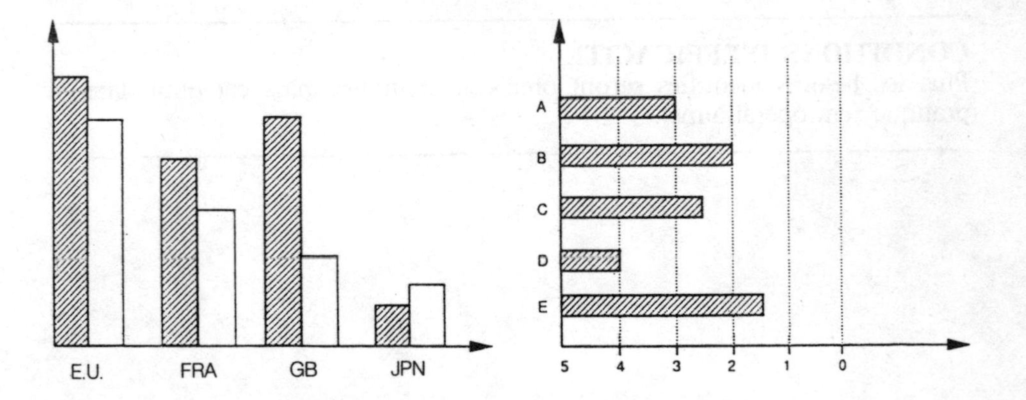

75 TECHNIQUES ET OUTILS D'INFORMATION ET DE FORMATION

FORMATION ET DÉVELOPPEMENT DE LA FORMATION	TABLEAU RÉCAPITULATIF DES OUTILS DE LA FORMATION

UTILITÉ

La seule constante, c'est le changement. L'Entreprise est par nécessité à la fois un système de production et d'éducation. Les méthodes de formation sont à choisir en fonction des besoins, au sein même des unités de travail...

MODE D'EMPLOI

1. Recenser en vrac tous les besoins de formation auxquels est confrontée votre unité de travail : maîtrise des circuits et procédures, préparation à une nouvelle fonction, approfondissement des techniques de ventes...
2. Obtenir une liste homogène en regroupant les points apparentés, c'est-à-dire ceux qui présentent des caractéristiques et un niveau de difficulté proches (savoir, savoir-faire, savoir-être).
3. Lister par ailleurs les méthodes de formation mises à la disposition de l'unité de travail pour prendre en charge de manière interne ou externe les besoins de formation.
4. Construire un tableau à double entrée, avec en ligne les besoins de formation et en colonne les méthodes de formation disponibles. Il sera ensuite possible de visualiser dans les cases concernées les méthodes utilisables pour chacun des besoins identifiés.
5. Ce tableau permet, en situation de travail, de choisir, sans tomber dans la routine, la méthode de formation la plus adaptée au besoin du moment. Toutefois, il faut aussi prendre en compte le mode d'apprentissage de l'intéressé.

CONDITIONS D'EFFICACITÉ

Plus les besoins identifiés seront précis et délimités, plus cet outil dans la pratique sera opérationnel.

TABLEAU RÉCAPITULATIF DES OUTILS DE LA FORMATION

MOYENS / BESOINS	COURS PROFESSIONNELS	STAGE CENTRALISÉ (séminaire interne)	STAGE CENTRALISÉ (séminaire externe)	ACTION décentralisée (inter unités)	Démultiplication	BINOME (Travail en tandem)	AUTOFORMATION (Fiches techniques)	AUTOFORMATION (E.A.O.)	Entretien individuel (avec responsable)	PRATIQUE TERRAIN	STAGE AUTRE SERVICE	STAGE AUTRE B.P.
Sensibilisation contact clientèle				×		×				×		×
Approfondissement techniques de vente		×		×		×				×		×
Formation produits (consolidation)							×	×				
Formation nouveau produit					×	×	×					
Découverte nouvelles technologies			×									
Mise en place procédure complexe		×									×	
Modification attitudes			×						×			
Maîtrise circuits et procédures						×	×					
Acquisition nouvelle compétence technique			×									
Amélioration qualité du travail					×	×						
Préparation à nouvelle fonction						×		×			×	×
Intégration d'un nouvel employé						×			×			
Connaissances mécanismes financiers	×							×				
Connaissance structures de l'entreprise					×	×					×	
Maîtrise techniques comptables	×										×	
Management (encadrement)			×							×		×
Organisation commerciale			×		×							

76	TECHNIQUES ET OUTILS D'INFORMATION ET DE FORMATION

FORMATION ET DÉVELOPPEMENT DES COMPÉTENCES	L'ÉTAT DES COMPÉTENCES

UTILITÉ

Cet outil répond à la question QUI SAIT FAIRE QUOI au sein de l'unité de travail. Il apporte des enseignements sur la maîtrise des compétences requises et le degré d'interchangeabilité des membres d'une équipe. Il permet de construire un tableau de répartition des tâches, un planning de congés, un plan de formation...

MODE D'EMPLOI

1. Effectuer un recensement « exhaustif » des prestations ou compétences (commerciales, administratives ou techniques) requises pour assurer le fonctionnement de l'unité de travail.
2. A partir de cette liste, construire une nomenclature assurant à la fois une vision globale des savoir-faire requis et l'analyse synthétique (entre 8 et 12 compétences en moyenne). Une compétence est la capacité à assumer de manière autonome une activité ou un groupe de tâches homogènes contribuant à la réalisation d'un service ou produit (exemple : pour un service COURRIER, le tri, le traitement des réclamations, la recherche d'informations complémentaires, etc.).
3. Déterminer le niveau de performance requis pour accomplir quantitativement (volume traité, productivité...) mais aussi qualitativement (fiabilité, niveau d'autonomie) les prestations de l'unité de travail. Evaluer le niveau de performance acquis par chaque collaborateur sur l'ensemble des prestations.

   - **1** capable d'assumer seul sans aucune formation préalable la réalisation de la prestation selon les normes d'efficacité définies ;
   - **0,5** capable d'assumer partiellement la réalisation effective de cette prestation et d'apporter ainsi une valeur ajoutée indéniable ;
   - **0** peu ou pas de connaissances et un niveau de maîtrise insuffisant pour apporter une réelle contribution dans ce domaine.

4. Estimer le nombre de personnes nécessaires pour traiter efficacement la charge de travail inhérente à chaque prestation (en intégrant la sécurité liée à l'absentéisme et aux périodes de surcroît de travail...).
5. Calculer l'indice de couverture pour chaque compétence ainsi que l'indice de polyvalence de chaque collaborateur. Fixer des indices de couverture et de polyvalence souhaitables puis analyser les écarts.

CONDITIONS D'EFFICACITÉ

Ce tableau exige une actualisation fréquente (6/12 mois) pour être réellement exploitable dans l'organisation d'une unité de travail. Les indices ne sont que des indicateurs globaux : il est évident que deux compétences partielles ne peuvent égaler une compétence complète (niveau d'expertise)...

ÉTAT SIMPLIFIÉ DES COMPÉTENCES DU SERVICE « COURRIER »

NOMS / COMPÉTENCES	*MAHIEU*	*GUICHARD*	*PASSERON*	*FAVEL*	*BOURQUIN*	*COUVERTURE ACTUELLE*	*COUVERTURE SOUHAITABLE*	*ECART*
TRI DU COURRIER	1	1	0,5	1	0	3,5	4	0,5
TOURNÉES AGENCE	0	1	0	0,5	1	2,5	3	0,5
MISE SOUS PLI AUTOMATIQUE	1	0,5	1	1	0	3,5	4,5	1
RECHERCHE CORRESPONDANCE	1	1	0	0	1	2	3	1
TRAITEMENT DES CAS PARTICULIERS	0,5	0	1	0	0,5	2	2,5	0,5
POLYVALENCE ACTUELLE	3,5	2,5	2,5	2,5	2,5			
POLYVALENCE SOUHAITABLE	4	3	3	3,5	0			
ECART	0,5	0,5	0,5	1	2,5			

77	TECHNIQUES ET OUTILS D'INFORMATION ET DE FORMATION

FORMATION ET DÉVELOPPEMENT DES COMPÉTENCES — **PLAN DE FORMATION**

UTILITÉ

La bataille de la compétence exige une rigueur dans l'organisation et la mise en place de la formation. Le plan de formation individuel ou collectif vise à clarifier les buts et modalités d'une mise en place cohérente...

MODE D'EMPLOI

1. Différencier la demande (perception par l'intéressé des moyens et actions à mettre en œuvre...) du besoin (écart entre situation actuelle et situation souhaitée...) et de l'attente (non-dit conscient ou inconscient : enjeux, valeurs, croyances, culture...).
2. Définir de manière objective le niveau de départ à travers des comportements observables (recherche souvent l'aide d'un collaborateur...) ou des performances mesurables (dans l'utilisation du micro-ordinateur ne maîtrise que 75 % des possibilités offertes...).
3. A partir de la fixation de l'objectif, c'est-à-dire le but visé par la formation (exemple : réduire de n % le nombre d'erreurs...), repérer le ou les niveau(x) de difficulté : **savoir = acquisition des connaissances ; savoir-faire = maîtrise technique ; savoir-être = changement de comportement.**
4. Définir ensuite les modalités de mise en œuvre : QUI forme ?... COMMENT ?... QUAND ?... en tenant compte des contraintes connues : événements commerciaux, disponibilité du matériel pédagogique et fonctionnement du service (congés, rotation...).

CONDITIONS D'EFFICACITÉ

En faisant jouer pleinement les interactions, vérifier la cohérence des modalités pour chaque objectif et entre les objectifs eux-mêmes. L'atteinte d'un objectif de formation entraîne souvent des mesures d'accompagnement indispensables à une pleine efficacité : alternance entre théorie et mise en application...

PLAN DE FORMATION DE L'AGENCE X

OBJECTIFS	POUR QUI	NIVEAU DE DIFFICULTE			QUI FORME ?	COMMENT	QUAND
		SAVOIR	SAVOIR FAIRE	SAVOIR ETRE			
REDUIRE A 2 % LE NOMBRE D'ERREURS DE CAISSE	DUMONT		X	X	ADJOINT PEREZ	- STAGE DANS UNE AUTRE AGENCE - TRAVAIL EN BINOME	JANVIER FEVRIER/ MARS
AMELIORER DE 25 % L'EFFICACITE COMMERCIALE DES ENTRETIENS AVEC LA CLIENTELE	EUGENE			X	LUI-MEME SERVICE FORMATION LUI-MEME	- UTILISATION DE L'E.A.O. POUR AUTO-ANALYSE DES POINTS FORTS / POINTS FAIBLES - SEMINAIRE DE COMMUNICATION INTRA-ENTREPRISE - REDACTION D'UN RAPPORT DE STAGE ET D'UN PLAN DE DEVELOPPEMENT PERSONNEL	JANVIER MARS MARS

78	TECHNIQUES ET OUTILS D'INFORMATION ET DE FORMATION
FORMATION ET DÉVELOPPEMENT DES COMPÉTENCES	PRATIQUE DE LA FORMATION EN SITUATION DE TRAVAIL

UTILITÉ

On ne forme pas une personne, elle se forme... Mettre en situation de demandeur un collaborateur afin qu'il assume la responsabilisation effective de sa formation ne peut s'envisager qu'au sein de sa propre unité de travail...

MODE D'EMPLOI

1. Susciter et organiser l'auto-évaluation des compétences acquises et requises chez l'apprenant : elle doit être perçue comme une démarche formative.
2. Définir avant le démarrage de la formation le contrat entre les protagonistes concernés (étapes et échéances, indicateurs de suivi, règles du jeu, comportements réciproques, moyens mis en œuvre...).
3. L'apprentissage se planifie pour faciliter une imprégnation progressive et une application immédiate des acquis. La tenue par l'intéressé d'un cahier de stage ou de formation est le meilleur moyen d'assurer un suivi rigoureux des actions menées par les partenaires concernés (hiérarchique, service formation, parrain...).
4. Il n'existe pas de changement isolé. Dans un contexte professionnel, il est important de clarifier étape par étape les mesures d'accompagnement (gestion du temps, rôles et fonctions, rotation et organisation du travail) qui facilitent la réelle mise en application.

CONDITIONS D'EFFICACITÉ

Il est essentiel de rendre l'initiative et l'autonomie à l'apprenant, dans un cadre défini consensuellement avec lui, et dans le respect permanent des engagements pris. L'exemple donné par le responsable joue alors un rôle considérable dans la réussite...

TECHNIQUES ET OUTILS D'INFORMATION ET DE FORMATION	79
FORMATION ET DÉVELOPPEMENT DES COMPÉTENCES	**PRATIQUE DE L'AUTO-FORMATION**

UTILITÉ
Chacun de nous est le premier responsable de ses propres ressources humaines. Dans bien des cas, nous devons « apprendre » à ne compter que sur nous-même pour assurer le développement et/ou le maintien de nos compétences professionnelles...

MODE D'EMPLOI

1. Votre propre motivation à agir est déterminante dans une démarche d'auto-formation. La formation doit être en étroite relation avec un de vos projets professionnels ou personnels.
2. Plus nous nous habituons à apprendre, plus chacun de nous est en mesure de le faire dans de bonnes conditions. Il faut donc que cette volonté d'information ou de formation soit une démarche permanente (prévoir à cet effet un budget-temps consacré au perfectionnement personnel).
3. Il faut savoir passer de l'abstrait (vision globale) au concret (aspect spécifique) et inversement... De la même manière, pratiquer une alternance entre la dimension théorique et la dimension pratique.
4. Clarifier votre stratégie d'apprentissage : est-elle plutôt visuelle (habituez-vous à réécrire pour mémoriser), auditive (utiliser alors un baladeur...) ou sensitive (repérer impressions, mots-clefs...).
5. Il faut s'accaparer la connaissance en la resituant par rapport à sa propre structure de pensée. Personnaliser l'apprentissage en utilisant votre propre langage, vos supports et points de repères.

CONDITIONS D'EFFICACITÉ

Si le SAVOIR est un moyen pour accroître votre POUVOIR sur les partenaires ou les événements, ne perdez pas de vue que le moteur du changement, à savoir le VOULOIR agir, lui ne s'apprend pas...

80	TECHNIQUES ET OUTILS D'INFORMATION ET DE FORMATION
FORMATION ET DÉVELOPPEMENT DES COMPÉTENCES	**ÉLABORATION D'UNE ACTION PÉDAGOGIQUE**

UTILITÉ

L'efficacité d'une action de formation est intimement liée à la « stratégie pédagogique » choisie. Une action pédagogique détermine autant le cheminement par lequel l'apprentissage doit s'effectuer que la dramaturgie et les supports à utiliser...

MODE D'EMPLOI

1. La conception d'une action pédagogique exige une définition claire de l'objectif d'évolution (par exemple : assurer l'adéquation entre l'emploi du temps d'un responsable et ses missions prioritaires...) ainsi que la détermination chronologique des objectifs pédagogiques (doit être capable de...).
2. Le contenu d'une formation s'élabore en fonction des objectifs pédagogiques : ils se déclinent à partir d'un schéma heuristique par le repérage des buts intermédiaires. Il faut donc partir du point d'arrivée (requis) et rejoindre ainsi le point de départ (acquis).
3. Le processus de formation est souvent plus important que le contenu de la formation dispensée. Il est essentiel de bien situer les différentes phases du dispositif de formation, mais aussi d'identifier les actions à mener en amont et en aval.
4. Une formation « signifiante » s'appuie plus sur le vécu que l'intellect, et autant sur le sensoriel ou l'affectif (faire ressentir...) que le purement rationnel.
5. Il n'existe pas de progrès sans une évaluation réelle des acquisitions : celle-ci doit donc jalonner l'ensemble du processus et intervenir aux moments clefs.

CONDITIONS D'EFFICACITÉ

Une action de formation est ressentie comme vivante lorsqu'elle est directement « branchée » sur l'expérimentation du réel, et lorsqu'elle est librement acceptée ou choisie...

SCHEMA HEURISTIQUE DE LA REGULARISATION DES FACTURES

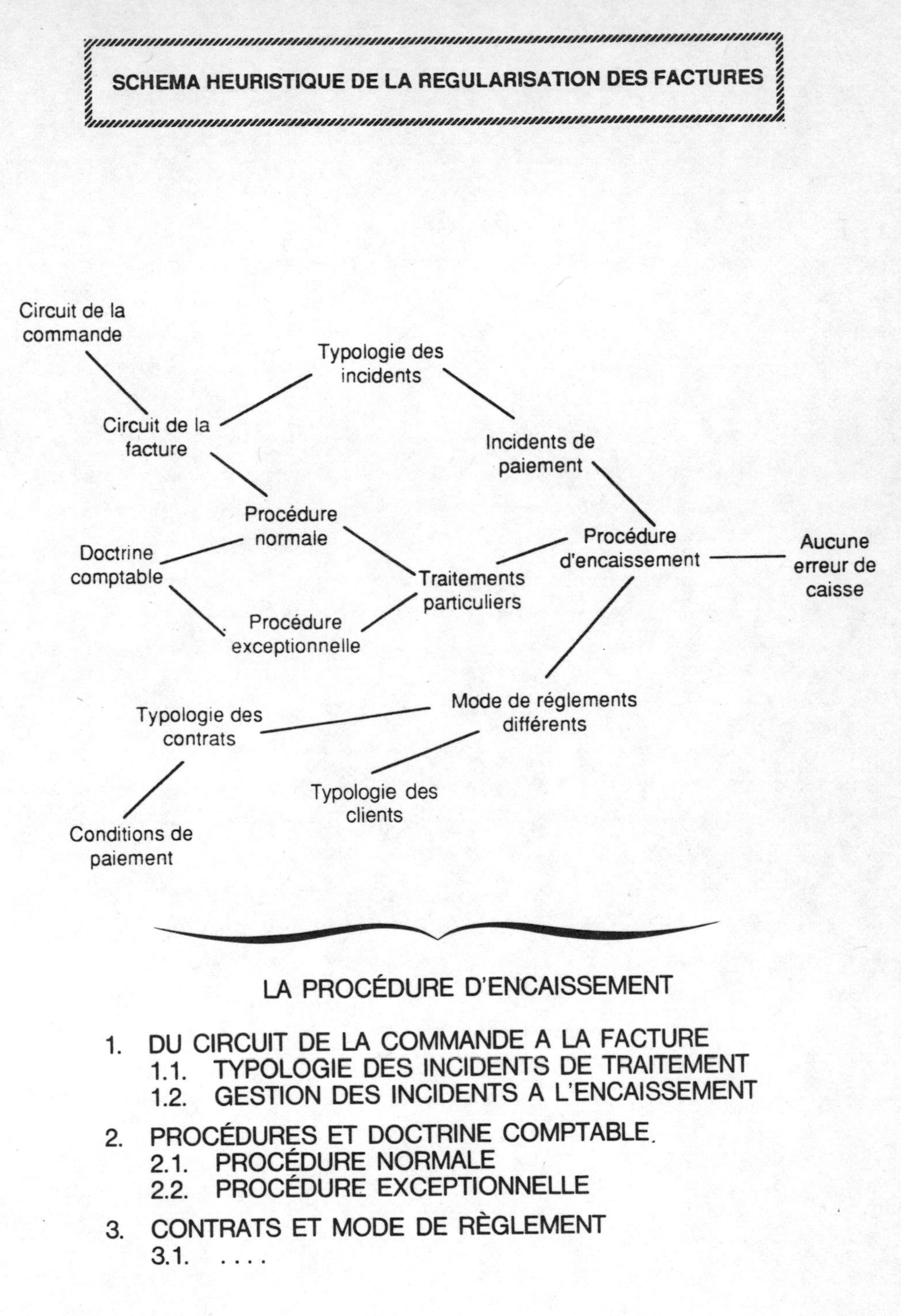

LA PROCÉDURE D'ENCAISSEMENT

1. DU CIRCUIT DE LA COMMANDE A LA FACTURE
   1.1. TYPOLOGIE DES INCIDENTS DE TRAITEMENT
   1.2. GESTION DES INCIDENTS A L'ENCAISSEMENT
2. PROCÉDURES ET DOCTRINE COMPTABLE.
   2.1. PROCÉDURE NORMALE
   2.2. PROCÉDURE EXCEPTIONNELLE
3. CONTRATS ET MODE DE RÈGLEMENT
   3.1. ....

QUATRIÈME PARTIE

CONTRÔLE ET RÉGULATION

La connaissance de soi est un domaine essentiel de l'Organisation dans la mesure où elle assure un auto-contrôle permanent de ses comportements et attitudes. Voltaire n'a-t-il pas dit à ce propos que « maîtriser son temps c'était se maîtriser soi-même ».

Dans la capacité à analyser a posteriori nos pratiques et en tirer des enseignements pour l'avenir réside sans doute une grande part de notre épanouissement professionnel. L'échec est formateur et l'expérience irremplaçable...

Le SUIVI et le CONTRÔLE DE L'ACTIVITÉ représente en définitive la clef de voûte de votre système d'Organisation. A partir de celui-ci, s'orchestre toute votre aptitude à prévoir et décider. Là encore, pour sortir de la subjectivité, des outils et méthodes s'avèrent indispensables...

La MAINTENANCE et la RÉGULATION DE L'ORGANISATION répond à une préoccupation souvent exprimée à travers les questions suivantes : Comment peut-on protéger l'organisation en place ?... Comment préserver nos conditions de travail en évitant fatigue et phénomène de saturation ?...

Notre aptitude à nous mobiliser sur des projets ambitieux dépend de cela. Le but ne consiste pas à travailler plus, mais à travailler mieux...

Nous apportons dans cette quatrième partie CONTRÔLE ET RÉGULATION des techniques éprouvées sur le traitement des perturbations et la gestion des incidents, mais voici auparavant pour introduire le sujet dix idées-forces :

1. **MESURER SON ÉTAT DE FORME...**
   Selon le principe que nous ne sommes jamais mieux servis que par nous-même, il apparaît déterminant pour gérer au mieux la situation d'être au clair sur son état de forme et de motivation...
2. **SAVOIR RÉCOMPENSER SES PROPRES MÉRITES...**
   La philosophie consiste ici à se proposer des défis stimulants, et, en cas de réussite, à « marquer le coup » par une récompense symbolique. Une dynamique de la réussite est, chacun le sait, plus mobilisatrice qu'une approche privilégiant les échecs...
3. **ENTRETENIR ET DÉVELOPPER SA DISPONIBILITÉ MENTALE...**
   S'il est vrai que la disponibilité repose sur une hygiène de vie, il faut accorder aussi de l'intérêt à quelques techniques centrées sur l'écoute et la mémorisation...

4. **ACQUÉRIR L'HABITUDE DE FAIRE LE POINT RÉGULIÈREMENT...**
   En effet, l'expérience montre que quelques minutes consacrées chaque soir et/ou en fin de semaine apportent un profit supérieur à une analyse menée une fois par mois ou par trimestre. Le respect d'une habitude se substitue ainsi progressivement à la nécessité de se soumettre à une obligation...
5. **FAIRE LE POINT SUR LES ÉLÉMENTS CLEFS...**
   Un suivi de votre activité professionnelle sans points de repère préalablement définis n'est pas en mesure de guider votre action future. Il s'agit de clarifier les 5 à 8 indicateurs qui seront en mesure d'apporter une vision globale de votre organisation ainsi qu'un éclairage précis sur des aspects méconnus ou évolutifs...
6. **S'ADAPTER AUX CHANGEMENTS DE RYTHME...**
   Ce qui caractérise l'emploi du temps, ce sont aussi ces fortes accélérations (appelées pointes de charge...) qui viennent dérégler l'équilibre habituel. La régulation du système doit assurer la gestion de ces trop-pleins d'activité...
7. **RÉSOUDRE PÉRIODIQUEMENT LES DYSFONCTIONNEMENTS CONSTATÉS DANS VOTRE ORGANISATION PERSONNELLE...**
   Au-delà de la connaissance des « empêcheurs de tourner en rond », le but du suivi consiste bien à mettre sous tutelle les principales perturbations subies...
8. **MAINTENIR LE TEMPS CONSACRÉ « AUX IMPONDÉRABLES » DANS DES LIMITES RAISONNABLES...**
   Votre système d'organisation doit être à la fois préventif et régulateur. S'il est illusoire de maîtriser totalement les situations auxquelles nous sommes confrontés, il faut se donner les moyens de piloter réellement son emploi du temps en évitant les risques d'annexion de celui-ci...
9. **APPRENDRE A BIEN FAIRE LES PETITES CHOSES...**
   L'apprentissage et le respect des fondamentaux en matière d'organisation est déterminant. Il s'agit notamment de réaliser correctement les « petites choses » qui jouent un rôle important dans notre quotidien : ranger son bureau, classer sa documentation ou mettre à jour ses dossiers...
10. **SAVOIR DIRE NON LORSQUE LA SITUATION L'OBLIGE...**
    Une des principales causes de l'inefficacité réside dans l'incapacité à affirmer face à une demande contraignante ses propres contraintes à agir. Cette dépendance développe des effets pervers puisque les véritables priorités peuvent se retrouver reléguées à des échéances inappropriées...

BIBLIOGRAPHIE SUR LE THÈME	AUTO-ANALYSE ET DÉVELOPPEMENT PERSONNEL	SUIVI ET CONTRÔLE DE L'ACTIVITÉ	MAINTENANCE ET RÉGULATION DE L'ORGANISATION
• BUZAN T. : *Une tête bien faite. Exploitez vos ressources intellectuelles,* Editions d'Organisation, Paris, 1984	×		
• MISSOUM G., LHABOUZ G. : *Piloter sa vie en champion,* Edition Belfond, l'Age du Verseau, Paris, 1990	×		
• VERTADIER A. : *Votre tonus professionnel,* Editions d'Organisation, Paris, 1987	×		
• MISSOUM G. : *L'Art de réussir,* Editions d'Organisation, Paris, 1990	×		
• ROGERS C.R. : *Le Développement de la personne,* Dunod, Paris, 1966	×		
• BERNE E. : *Que dites-vous après avoir dit Bonjour ?,* Tchou, Paris, 1977	×		
• GUILLOUX C. : *Organisation ou comment travailler plus en se fatiguant moins,* Editions d'Organisation, Paris, 1988		×	×
• STERN E. : *Etre plus efficace,* Editions d'Organisation, Paris, 1981	×	×	
• SULZER J.R. : *Comment construire le tableau de bord ?* Editions Dunod, Paris, 1985		×	
• MAC KENZIE A. : *A la recherche du temps perdu,* E.M.E., Paris, 1974		×	
• CHALVIN D. : *Les 160 lois de Chalvin,* Belfond, Paris, 1886		×	×
• GAMONNET F. : *Savoir mieux gérer son temps,* Editions d'Organisation, Paris, 1982		×	
• MALLEN M.C. et MICHEL S. : *Le Bilan personnel, outil de votre réussite,* Editions d'Organisation, Paris, 1990		×	
• SILCOX D. : *Votre temps vous appartient,* Edition Ramsay, Paris, 1981			×

81	TECHNIQUES ET OUTILS DE CONTRÔLE ET DE RÉGULATION
AUTO-ANALYSE ET DÉVELOPPEMENT PERSONNEL	MÉTHODES D'AUTO-STIMULATION

UTILITÉ

La motivation à agir est-elle seulement le produit d'une stimulation externe ?... En fait, elle dépend en grande partie de notre volonté de voir satisfaits nos besoins et aspirations...

MODE D'EMPLOI

1. Au cœur de toute stimulation, il y a la volonté de réussir un projet important à nos yeux (sécurité psychologique dans l'emploi, reconversion, promotion rapide, adéquation entre vie professionnelle et personnelle...).
2. Rendre cohérent le projet personnel et professionnel : cette situation assure la capacité à s'inscrire dans la durée, sans frustration ni remise en cause permanente.
3. Sans tomber dans l'auto-satisfaction, il faut apprendre à vivre selon un sentiment de satisfaction vis-à-vis de ses réussites, plutôt que d'insatisfaction envers ce que l'on ne maîtrise qu'imparfaitement. Positivez vos échecs, lorsque vous retenez la leçon, ils deviennent des expériences enrichissantes.
4. Raisonner de manière positive : Qu'est-ce que je veux ?... Comment savoir si je l'ai atteint ?... Quand, où et avec qui je veux y parvenir ?... De quelles ressources puis-je disposer pour réussir mon projet ?...
5. Visualiser mentalement par anticipation la réussite de votre projet (VOIR C'EST VOULOIR) pour renforcer votre confiance en vos moyens et mesurer à travers vos succès précédents le chemin déjà parcouru.
6. « Il n'y a pas de mal à se faire du bien » : à l'occasion de vos défis, prenez à témoin une personne proche dont le jugement est important à vos yeux, et, en cas de succès, offrez-vous une récompense symbolique...

CONDITIONS D'EFFICACITÉ

Personne d'autre que vous-même n'est en mesure d'assurer une stimulation durable. La clarification de la finalité à atteindre (le projet) représente la clef de voûte du système motivationnel...

ADÉQUATION ENTRE PROJETS PROFESSIONNELS ET PERSONNELS

Vos priorités s'inscrivent dans un schéma de pensée dynamique et cohérent. A court ou moyen terme, l'efficacité repose sur l'adéquation des projets professionnels et personnels.

VOS PRIORITÉS SUR LE PLAN PERSONNEL

1. Quelles étaient jusqu'à présent vos priorités ?... (faire la liste des buts visés dans les domaines professionnels, familial, social, culturel...).
2. Quels sont les résultats obtenus ?...
3. Que voulez-vous obtenir dans les 6/12 mois à venir ?...
4. Dans 3 ans, quels seraient dans votre réussite personnelle les résultats obtenus les plus significatifs ?...

VOS PRIORITÉS SUR LE PLAN PROFESSIONNEL

1. Quelles étaient jusqu'à présent vos priorités ?... (faire la liste sur le plan commercial, social, technique, économique, financier...).
2. Quels sont les résultats obtenus ?...
3. Quels sont les buts à atteindre dans les 6/12 mois à venir ?...
4. Dans 3 ans, quels seraient dans votre réussite professionnelle les résultats obtenus les plus significatifs ?...

82	TECHNIQUES ET OUTILS DE CONTRÔLE ET DE RÉGULATION
AUTO-ANALYSE ET DÉVELOPPEMENT PERSONNEL	**GESTION DU STRESS ET RELAXATION**

UTILITÉ

Le corps est un outil de communication. En tant que tel, il représente une ressource à gérer dans les moments faciles comme dans ceux qui le sont moins. Le stress et la lassitude appartiennent évidemment à cette seconde catégorie...

MODE D'EMPLOI

1. En cas de stress, il faut rendre objectives les causes de l'angoisse : l'inquiétude du jugement de l'autre, la faiblesse de la préparation...
2. Si vous ne maîtrisez plus une situation, demandez à votre interlocuteur de préciser sa pensée (déplacement de la pression) ou confiez-vous à une personne de confiance.
3. En face d'un auditoire, sachez agir physiquement sur l'émergence du trac (gorge serrée, mains moites...) en augmentant notoirement votre capacité respiratoire par le moyen d'une forte expiration.
4. Décontractez-vous en fixant votre intérêt sur un objet ou un visage qui vous inspire confiance. Ne reculez pas l'échéance pour affronter la difficulté, vous risquez ainsi de décupler votre anxiété.
5. Modifiez mentalement le contexte dans lequel vous vous situez, en chassant l'angoisse par l'évocation d'une expérience parfaitement réussie par vous. Retrouvez la plénitude de ce moment en visualisant la situation, et en recherchant les sons et les sensations vécus à ce moment précis.
6. Imaginez votre interlocuteur dans une situation beaucoup moins confortable pour lui (par exemple : tout nu sur une plage..., ou situation d'échec antérieure...).

CONDITIONS D'EFFICACITÉ

Ces moyens forts utiles dans une situation délicate ne remplacent pas une hygiène de vie assurant notamment un bon équilibrage entre la dépense nerveuse et physique...

TECHNIQUES ET OUTILS DE CONTRÔLE ET DE RÉGULATION		83
AUTO-ANALYSE ET DÉVELOPPEMENT PERSONNEL	**GESTION DE L'ÉQUILIBRE PHYSIQUE**	

UTILITÉ

Est-il nécessaire de mentionner l'interaction entre le corps et l'esprit ?... Etre en forme physiquement, au regard de l'influx nerveux dépensé au quotidien dans une vie sédentaire, voilà bien une des clefs de la réussite...

MODE D'EMPLOI

1. Etre à l'écoute de son propre corps et de ses manifestations symptomatiques : maux de tête, contractions musculaires, insomnies, fatigue chronique, nervosité à fleur de peau, susceptibilité inhabituelle...
2. Pratiquer une activité physique en harmonie avec vos goûts, vos caractéristiques personnelles (attention aux contre-indications), vos contraintes professionnelles. L'efficacité ne relève pas de l'intensité de l'effort physique mais de sa fréquence.
3. Préférer des petits déjeuners copieux à des dîners trop conséquents. Mangez lentement et vitaminé. La qualité de votre sommeil et votre dynamisme matinal y gagneront indéniablement. La consommation d'alcool et de cigarettes est au minimum à « contingenter », celle du café à proscrire dès le début de l'après-midi.
4. Effectuer des pauses de 5 minutes toutes les heures et de 20 minutes toutes les 3 heures et prévoir des marges de sécurité dans votre planning.
5. La qualité de votre sommeil dépend de la qualité du lit, de la température ambiante (ni sèche, ni trop élevée), du silence obtenu (essayer si nécessaire les boules Quiés), du délai pris entre l'heure du repas et l'heure du coucher (attendre 2 heures minimum).

CONDITIONS D'EFFICACITÉ

Il faut savoir que la gestion de l'équilibre physique influe largement sur votre moral et votre motivation à agir. Elle agit de la même manière sur l'évaluation que porte l'environnement professionnel de votre dynamisme...

84	TECHNIQUES ET OUTILS DE CONTRÔLE ET DE RÉGULATION

AUTO-ANALYSE ET DÉVELOPPEMENT PERSONNEL	ÉCOUTER ET FIXER SON ATTENTION

UTILITÉ

En moyenne, nous ne retenons qu'une idée sur quatre et cette situation provoque bien des dysfonctionnements dans une activité professionnelle où l'écoute accapare un tiers de notre temps...

MODE D'EMPLOI

1. Créer les conditions d'une bonne disponibilité mentale (confort d'écoute) en prenant en compte l'environnement physique (nuisances, bruit...) ainsi que votre état de forme (préoccupation du moment, fatigue...). Regarder fixement votre interlocuteur, facilite le maintien de l'attention.
2. Se mettre à la place de l'autre, s'efforcer de voir la situation d'après le point de vue de l'interlocuteur. Se méfier de vos attitudes spontanées telles que l'attitude évaluative **« je ne suis pas d'accord... »** ou interprétative **« je déduis donc que vous pensez que... »**. Préférer les questions de relance ou d'approfondissement ainsi que les reformulations.
3. Privilégier le fond à la forme. Il faut être capable de retenir l'essentiel du contenu (logique de la pensée, liaisons entre les idées) plutôt que la qualité du style et celle du vocabulaire utilisés. La prise de notes favorise l'écoute et la compréhension.
4. Respecter les silences, ils sont indispensables à une expression efficace de votre interlocuteur. Vérifier si les attitudes gestuelles sont en cohérence avec le discours de l'intéressé (mimique, regard, position du corps...).

CONDITIONS D'EFFICACITÉ

Juger est notre tendance naturelle. Le secret de l'écoute est dans notre volonté de comprendre avant de juger, de « goûter » ce qui nous est dit avant de songer à le critiquer...

TECHNIQUES ET OUTILS DE CONTRÔLE ET DE RÉGULATION

85

AUTO-ANALYSE ET DÉVELOPPEMENT PERSONNEL

L'ENTRETIEN DE LA MÉMOIRE

UTILITÉ

La mémoire est-elle seulement une qualité innée, ou doit-elle s'entretenir – voire s'améliorer – dès lors que son recours est ressenti comme déterminant dans certaines situations professionnelles...

MODE D'EMPLOI

1. Repérer son type de mémoire préférentiel : apprentissage par répétition, réseaux logiques, souvenirs modulés par des impressions.
2. Se doter d'une hygiène de vie physique et mentale : repos et relaxation périodiques, alimentation rationnelle, stimulation et curiosité permanentes...
3. Lire avant de se coucher les éléments à mémoriser (en s'appropriant le contenu avec son vocabulaire et sa propre structuration) et répéter cette opération dès le réveil.
4. Utiliser les procédés mnémotechniques : méthodes des enchaînements thématiques (processus de pensée), des mots-clefs (mot permettant de retenir un ensemble d'informations), des initiales (en conservant la première lettre de chaque mot-clef se construit le déclencheur de la mémoire).
5. Visualiser ce que l'on veut retenir à partir de l'idée directrice, et par des schémas heuristiques mettre en relief les relations entretenues par les différents éléments pris en considération.
6. Pour mémoriser une idée complexe, approfondir l'analyse et la resituer par rapport aux connaissances déjà acquises sur le sujet.

CONDITIONS D'EFFICACITÉ

Le rôle de la motivation est en fait fondamental dans la réussite : en effet, il y a une différence d'efficacité entre se rappeler (démarche volontariste) et se souvenir (approche passive)...

86	TECHNIQUES ET OUTILS DE CONTRÔLE ET DE RÉGULATION
SUIVI ET CONTRÔLE DE L'ACTIVITÉ	**TABLEAU DE BORD PERSONNEL**

UTILITÉ
Pour piloter votre Organisation Personnelle, il est indispensable de pouvoir disposer d'un tableau synthétique des principaux indicateurs d'activité et de performance requis par les priorités actuelles. C'est à la fois un outil de régulation et de mobilisation...

MODE D'EMPLOI

1. Le diagnostic de la situation actuelle et la prise en compte des évolutions à venir sont au regard de votre mission actuelle les domaines d'investigation prioritaires.
2. Les indicateurs à retenir doivent être significatifs et limités en nombre (ne pas aller au-delà de 8). Ce qui est essentiel, c'est l'analyse de la tendance ; elle permet de resituer une mesure dans le contexte à travers l'historique de la situation.
3. La formulation des indicateurs doit être explicite sur le but à atteindre et adaptée à la mesure exacte des résultats visés.
4. Une périodicité mensuelle de la mesure assure une bonne vision d'ensemble. Une analyse plus fine d'un phénomène exige lors du démarrage de l'opération une périodicité par semaine ou quinzaine.
5. Le tableau de bord ne fait que mettre en évidence l'efficacité du système étudié : il doit faire l'objet d'un examen régulier pour choisir et mener rapidement les actions correctives.

CONDITIONS D'EFFICACITÉ

Un tableau de bord efficace apporte à la fois une vision globale (grand angle) et des éclairages spécifiques (effet zoom) sur les aspects clefs de votre organisation personnelle. Il doit être maniable et continu dans son utilisation...

TECHNIQUES ET OUTILS DE CONTRÔLE ET DE RÉGULATION	87
SUIVI ET CONTRÔLE DE L'ACTIVITÉ	**INDICATEURS DE SUIVI**

UTILITÉ

Les indicateurs de votre tableau de bord personnel doivent être à la fois explicites sur le but à atteindre et faciles à mesurer. Leur nécessaire sélectivité (7/8 maximum) rend par ailleurs difficile le choix des clignotants à retenir...

MODE D'EMPLOI

1. Le choix des indicateurs relève soit des aspects essentiels de votre activité (votre valeur ajoutée...), soit des aspects méconnus de votre organisation (ce qui est imperceptible...), soit sur ce qui touche aux aspects évolutifs ou fluctuants de votre environnement.
2. Ils se situent en amont de votre activité **(indicateur d'entrée tel que *nombre de dossiers reçus incomplets*),** en relation directe avec votre activité **(indicateurs d'activité : *nombre de dossiers traités*),** ou bien en aval **(indicateur de sortie tel que le *pourcentage de dossiers respectant le délai convenu*).**
3. Afin de permettre d'apprécier l'évolution d'un phénomène, une certaine longévité de l'indicateur retenu est requise. Une présentation visuelle (courbe d'évolution, camembert de proportion, histogramme de répartition...) facilite l'analyse des données chiffrées.
4. Les modalités de mesure d'un phénomène doivent être « économiquement » en rapport avec le niveau de précision attendue. Choisir de préférence les indicateurs symptomatiques (cerner une partie d'un phénomène mais la partie la plus sensible : **par exemple : *les erreurs d'aiguillage au téléphone,*** etc.).
5. Une rigueur est indispensable dans la méthode de saisie des informations. En effet, le respect de la méthode d'une saisie à l'autre est déterminant dans l'appréciation des résultats et le choix des actions correctives à mettre en œuvre.

CONDITIONS D'EFFICACITÉ

Choisir des indicateurs visant à permettre un réel pilotage de votre gestion du temps, et non pas seulement choisir des indicateurs dits de justification (indicateurs en amont de votre activité professionnelle tels que par exemple ***le nombre de dossiers reçus incomplets...***).

88	TECHNIQUES ET OUTILS DE CONTRÔLE ET DE RÉGULATION
SUIVI ET CONTRÔLE DE L'ACTIVITÉ	LE CARNET DE BORD

UTILITÉ

A un volume d'information croissant, nous constatons une demande d'information qualitative plus importante. Il apparaît souhaitable de regrouper les informations clefs de votre activité professionnelle au sein d'un support appelé carnet de bord...

MODE D'EMPLOI

1. Déterminer au sein d'un cahier prévu à cet effet une présentation standard correspondant aux informations clefs qui vous semble utile de conserver chaque jour. Par exemple, un découpage du support présentant pour chaque journée trois parties distinctes :

   • **une annexe à votre agenda,** où il est possible de noter toutes les relances importantes à effectuer, dès le lendemain ou à échéance plus lointaine, sur vos activités ou celles des autres. Au regard du volume concerné, l'utilisation du parapheur peut être préférable... ;
   • **un bilan des événements clefs de la journée** que vous souhaitez garder en mémoire (réussites, imprévus, résultats obtenus...) ;
   • **un recueil des aspects non résolus** (en attente), à régler ultérieurement, ainsi que les situations évolutives qu'il vous semble utile de surveiller dans les jours ou les semaines à venir...

2. Afin de conserver une information sélective et exploitable, il est conseillé de consacrer une page à chaque journée.
3. L'enrichissement s'effectuant en fin de journée, il vous oblige ainsi à faire le point sur l'ensemble de la journée. Si vous utilisez la partie « relance et contrôle », sa consultation s'impose de fait lors de l'élaboration du plan de travail journalier.
4. L'analyse hebdomadaire permet de régler les points restés en suspens alors qu'une analyse mensuelle ou trimestrielle vise plutôt à dégager avec le recul les lignes de force de la situation actuelle.

CONDITIONS D'EFFICACITÉ

Cet outil doit naturellement trouver sa place dans votre organisation entre l'agenda, le plan de travail journalier et l'utilisation du parapheur. Attention à ne pas multiplier à l'infini les outils...

CARNET DE BORD

JOURNÉE DU : 14/10

REP.	ACTIONS	QUI	DEPUIS QUAND
1.	Etude sur la concurrence	DUVAL	16/09
2.	Contrôle du respect de la procédure XL	moi	fin septembre
3.	Lettre de réclamation GOSSET	FAVEROT	10/10
4.	Préparation du dossier ALIBERT	CALMON	14/10

BILAN DE LA JOURNÉE	ASPECTS A SUIVRE...
1. Absence de CALMON	1. Dépôt de bilan de la Sté COQUEREL
2. Litiges sur les conditions du paiement avec LARTIGOT	2. Baisse du chiffre d'affaires sur les produits haut de gamme
3. Retard de livraison lié à la grève des transporteurs	

89	TECHNIQUES ET OUTILS DE CONTRÔLE ET DE RÉGULATION

SUIVI ET CONTRÔLE DE L'ACTIVITÉ	TABLEAU DE POINTS DE CONTRÔLE

UTILITÉ

Un certain nombre d'aspects liés au fonctionnement d'une unité de travail ne présentent pas d'enjeu majeur tout en nécessitant un contrôle périodique. Afin de ne rien oublier, il est utile de recenser sur un support unique toutes les opérations visées par un suivi régulier (semaine, quinzaine, mois...).

MODE D'EMPLOI

1. Recenser l'ensemble des contrôles à effectuer dans l'exercice de votre fonction (en matière de sécurité, gestion des stocks, vérifications à caractère administratif...).
2. Déterminer les points à contrôle (présentant une réelle valeur ajoutée en regroupant les aspects proches) et qui ne nécessitent pas une planification fixe. Exemples : la propreté des locaux, le respect d'une procédure, la mise à jour des dossiers...
3. Fixer pour chaque point de contrôle la fréquence du contrôle à effectuer : combien de fois par semaine ?... par quinzaine ou par mois ?...
4. Construire un tableau à double entrée, avec les points de contrôle en ligne et les fréquences en colonne. Après chaque contrôle, il est conseillé de faire apparaître visuellement la réalisation effective de l'opération.
5. Afficher ce support sur un panneau mural face à votre poste de travail. Il deviendra ainsi plus facile de profiter des « périodes calmes » pour mener en quelques minutes, en fonction des besoins, un ou plusieurs contrôle(s).

CONDITIONS D'EFFICACITÉ

Le suivi est souvent vécu comme une tâche ingrate. S'obliger à consulter périodiquement ce support est la meilleure garantie de le faire vivre...

TABLEAU DES POINTS DE CONTRÔLE

CONTRÔLES	PÉRIO-DICITÉ	JANVIER	FÉVRIER	MARS	AVRIL	MAI	JUIN
Gestion des fournitures	2/mois	┌	│				
Procédures de sécurité	2/sem.	⧄ ⊓	□				
Classement et archivage	2/mois	┌	│				
Note de frais	4/mois	┌□	│				
Terme du planning	4/mois	┌□					
Propreté des locaux	4/mois	┌					
Visites des clients	2/mois	┌					
Publicité sur lieux de vente	2/mois	┌					
Suivi des réclamations clients	1/sem.	□	│				
Etc.							

90	TECHNIQUES ET OUTILS DE CONTRÔLE ET DE RÉGULATION

SUIVI ET CONTRÔLE DE L'ACTIVITÉ	BILAN D'ACTIVITÉ

UTILITÉ

Le bilan d'activité présente l'intérêt de pouvoir répertorier sur un document synthétique les faits marquants d'une période (1 mois par exemple), et de pouvoir transmettre à votre hiérarchie une vision d'ensemble de votre activité agrémentée de vos commentaires et conclusions.

MODE D'EMPLOI

1. Situer avec les destinataires du document les besoins d'information souhaités (aspects et domaines à couvrir, niveaux de détail...).
2. Construire un support synthétique (recto/verso maximum...) comportant des mentions clairement délimitées et suffisamment « ouvertes » pour apporter une information diversifiée : Ambiance de l'équipe, Analyse et Répartition de la charge de travail, Résultats commerciaux...
3. Ce document au-delà des faits marquants de la période (événements ou incidents particuliers) et les principaux résultats présente en guise de conclusion les orientations choisies pour la période à venir et les questions restées en suspens.
4. Il est souhaitable de prolonger l'analyse de ce bilan d'activité par un entretien interactif entre le hiérarchique et son collaborateur, le but de cet entretien étant de clarifier les différents aspects de l'activité et d'entériner ensuite les orientations proposées.

CONDITIONS D'EFFICACITÉ

Nous vous conseillons de transmettre ce bilan d'activité à votre hiérarchie, même si cette demande n'est pas vraiment formulée. C'est un bon support pour construire une vision commune sur les résultats obtenus et renforcer ainsi la relation de confiance...

BILAN D'ACTIVITÉ DU SERVICE MAINTENANCE	
MOIS : Février	RÉDACTEUR : RUPERT

RÉSULTATS OBTENUS :

Le volume de temps de dépannage représente 60 % ; ce qui explique le retard accumulé en entretien préventif (de l'ordre de 4 j. par rapport au planning fixé) ....

ORGANISATION ET RÉPARTITION DU TRAVAIL :

Le temps de réaction suite à un incident technique est perçu comme insatisfaisant par les fabricants ....

AMBIANCE DE L'ÉQUIPE :

La gestion des heures supplémentaires reste une préoccupation majeure. L'insertion du nouvel embauché se réalise dans de bonnes conditions, tandis que l'absentéisme est conforme aux prévisions ...

PRIORITÉS DE LA PÉRIODE A VENIR :

Affiner l'indicateur concernant le temps de dépannage et rattraper le retard sur l'entretien préventif ....

OBSERVATIONS :

Il devient nécessaire de revoir le contrat de service avec ....

91	TECHNIQUES ET OUTILS DE CONTRÔLE ET DE RÉGULATION

SUIVI ET CONTRÔLE DE L'ACTIVITÉ	GUIDE D'ENTRETIEN PÉRIODIQUE

UTILITÉ
Dans l'optique d'un suivi périodique, il faut à la fois beaucoup d'ouverture d'esprit et de rigueur pour communiquer avec un collaborateur sur l'évaluation de ses performances...

MODE D'EMPLOI

1. Définir préalablement avec le collaborateur le planning et les modalités des entretiens (philosophie, contenu, outils de suivi, préparation préalable...).
2. Introduire l'entretien par un rappel succinct de la mission et des objectifs de l'intéressé, la finalité de l'entretien et le plan de travail (étapes, durée globale...).
3. Dans un premier temps, faire dresser par le collaborateur le bilan des résultats obtenus sur les exigences de la fonction (participation active au fonctionnement, productivité, qualité...) puis de manière plus spécifique sur les objectifs ponctuels. Le hiérarchique note les éléments du bilan et apporte ensuite son évaluation personnelle.
4. Analyser ensuite de manière, et dans cet ordre de préférence, les causes des réussites et celles concernant les points à perfectionner. Un consensus doit être obtenu sur les aspects majeurs.
5. Déterminer en commun le plan d'ajustement à mettre en œuvre pour atteindre les objectifs visés (méthodes, formation, supports à créer, gestion du temps...). A l'issue de l'entretien, une synthèse écrite des décisions prises est nécessaire pour faciliter la réalisation ultérieure.

CONDITIONS D'EFFICACITÉ

L'efficacité réside dans le respect du processus de réflexion et la volonté de mener une analyse approfondie. Pour éviter l'implication affective, il est indispensable de scinder dans l'échange l'évaluation des résultats, de l'analyse des causes et de la recherche des solutions...

TECHNIQUES ET OUTILS DE CONTRÔLE ET DE RÉGULATION

92

SUIVI ET CONTRÔLE DE L'ACTIVITÉ

MÉTHODES DE CONTRÔLE

UTILITÉ

Un contrôle est par définition une activité nécessaire mais coûteuse en temps. A ce titre, vous ne devez jamais perdre de vue l'efficacité effective de la méthode de contrôle choisie (rapport coût/gain)...

MODE D'EMPLOI

1. Le choix du contrôle doit être adapté au niveau de complexité de la tâche (risque/enjeu), au savoir-faire de l'intéressé (état des compétences) et au degré de confiance de la relation (climat relationnel).
2. Les types de contrôles sont les suivants : **approche globale** (les opérations dans leur globalité), **exhaustive** (toutes les opérations), **par exception** (à chaque fois qu'une opération présente une caractéristique particulière), **statistique** (quelques opérations choisies au hasard).
3. Les modalités d'un contrôle sont à définir à partir de sa rentabilité (manque à gagner, risque commercial...) en sachant qu'un contrôle peut avoir une fonction préventive, répressive ou dissuasive...
4. Mettre en place des contrôles aux points clefs d'un processus de travail :
   - **en entrée,** pour analyser l'évolution de la qualité et de la quantité de ce qui est fourni par les entités situées en amont... ;
   - **en cours de processus,** afin de mieux maîtriser la production réalisée... ;
   - **en sortie,** pour évaluer la qualité et la quantité du travail réalisé au profit des entités situées en aval...
5. Développer à travers la responsabilisation de l'opérateur la pratique de l'auto-contrôle. Lutter contre l'inflation des contrôles intermédiaires inutiles et redondants, ou effectués à des fréquences inappropriées.

CONDITIONS D'EFFICACITÉ

La pratique du contrôle doit s'exercer dans le but de maîtriser la situation selon l'approche anglo-saxonne (to control) et non dans un sens strictement répressif ou réglementaire. Ce contrôle est centré sur les résultats et l'action à entreprendre, pas sur le jugement des personnes...

93	TECHNIQUES ET OUTILS DE CONTRÔLE ET DE RÉGULATION

MAINTENANCE ET RÉGULATION DE L'ORGANISATION	ORDINOGRAMME D'OPTIMISATION

UTILITÉ

Apprendre à alterner la réflexion et l'action est une des clefs de la réussite. L'ordinogramme d'optimisation apporte un processus cohérent de prise en charge d'une activité et de remise en cause des pratiques en cours...

MODE D'EMPLOI

1. **Est-ce utile d'agir ?...** L'expérience montre que nous nous encombrons parfois de tâches n'apportant pas de valeur ajoutée à notre activité professionnelle (exemple : *la lecture de notes internes ou de revues en marge de notre besoin d'information*). L'élimination pure et simple s'impose alors.
2. **Est-ce à moi d'agir ?...** Dans le feu de l'action, nous prenons souvent à notre compte des tâches extérieures ou secondaires par rapport à notre mission réelle. Il faut alors transmettre aux personnes directement concernées ou déléguer ponctuellement cette tâche à un de vos collaborateurs.
3. **Est-ce urgent d'agir ?...** Nous avons tendance à surestimer le degré d'urgence d'une situation, ou à subir parfois de fausses urgences. Il faut rester vigilant dans ce domaine et si le traitement n'est pas immédiat, planifier immédiatement l'action pour ne pas l'oublier.
4. **Ma méthode actuelle est-elle satisfaisante ?...** Le poids de l'habitude et l'impulsivité nous conduisent parfois à des pratiques inefficaces. Il est déterminant de réfléchir à la MÉTHODE avant de passer à l'acte. Si le temps manque à l'analyse, planifier une réflexion ultérieure.
5. Si la réponse à ces quatre questions est positive, nous pouvons considérer l'approche de la situation satisfaisante. Il est utile de se poser fréquemment ces questions afin d'éviter l'engourdissement de la routine.

CONDITIONS D'EFFICACITÉ

Avant la prise en charge de toute action, ce processus doit devenir un réflexe totalement intégré à notre manière de travailler. Est-ce en définitive plus difficile à acquérir que la technique du créneau dans la conduite automobile ?...

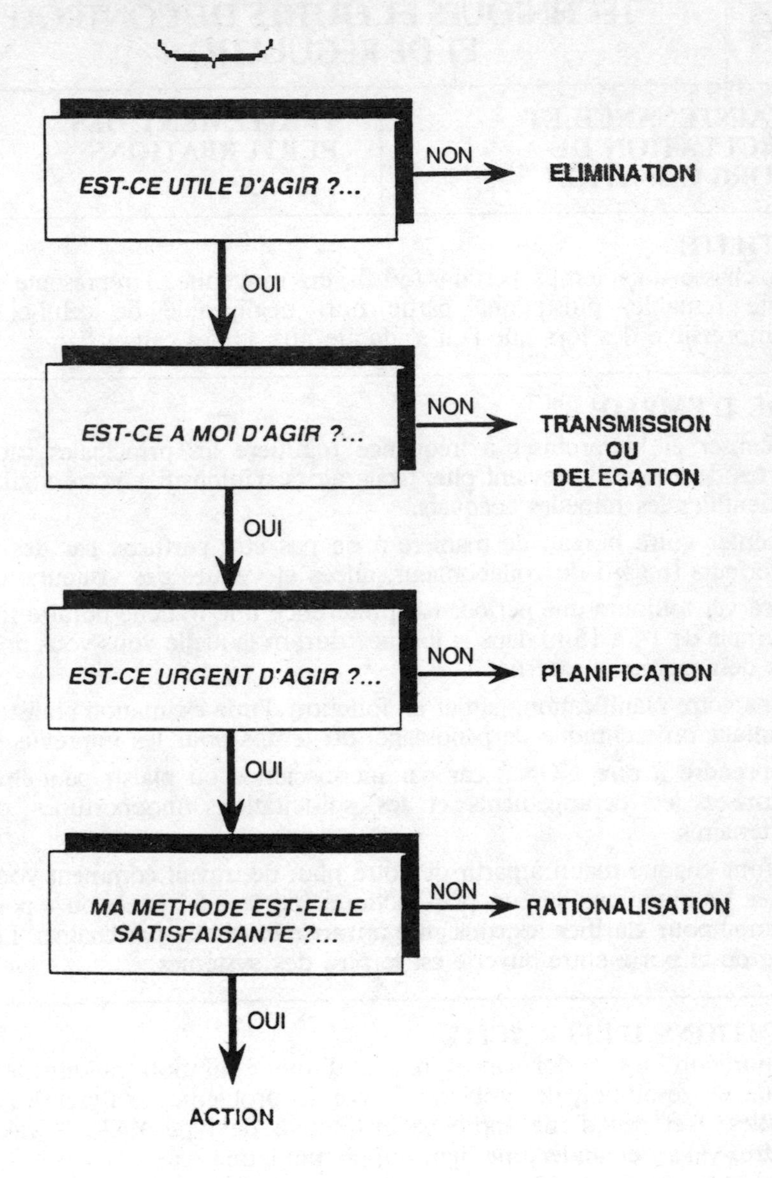
EVENEMENTS QUOTIDIENS
EST-CE UTILE D'AGIR ?...
NON
ELIMINATION
OUI
EST-CE A MOI D'AGIR ?...
NON
TRANSMISSION
OU
DELEGATION
OUI
EST-CE URGENT D'AGIR ?...
NON
PLANIFICATION
OUI
MA METHODE EST-ELLE
SATISFAISANTE ?...
NON
RATIONALISATION
OUI
ACTION

94 TECHNIQUES ET OUTILS DE CONTRÔLE ET DE RÉGULATION

MAINTENANCE ET RÉGULATION DE L'ORGANISATION	TRAITEMENT DES PERTURBATIONS

UTILITÉ

La chasse au « temps perdu » (30 % en moyenne...) représente une piste rentable, puisqu'une partie non négligeable de celui-ci est compressible dès lors que l'on s'attaque aux vraies causes...

MODE D'EMPLOI

1. Recenser et hiérarchiser à fréquence régulière les principales causes de pertes de temps. Il devient plus facile alors d'intensifier votre vigilance et d'identifier les remèdes adéquats.
2. Orienter votre bureau de manière à ne pas être perturbé par des stimuli extérieurs (regard du collaborateur, allées et venues des visiteurs, etc.).
3. Réserver toujours une période (de préférence une tranche horaire fixe, par exemple de 14 à 15 h) dans la journée durant laquelle vous vous préservez des dérangements externes.
4. Dans votre planification, gardez en fonction d'une estimation réaliste (auto-pointage ou technique de pendulage) du temps pour les imprévus.
5. Apprendre à dire NON... car par inconscience ou plaisir peut-être vous favorisez les dérangements et les sollicitations inopportunes de vos partenaires.
6. Définir chaque matin à partir de votre plan de travail comment vous allez jouer les situations sur un plan tactique (porte « fermée » ou « porte ouverte ») pour clarifier les consignes à transmettre aux partenaires. Le principe de la porte entre-ouverte est le pire des systèmes.

CONDITIONS D'EFFICACITÉ

L'amélioration des performances relève d'une utilisation rationnelle de la méthode de résolution de problème (poser le problème, analyser les causes profondes...) et pas d'une approche instinctive de type YAKA : yaka plus répondre, yaka demander une ligne supplémentaire...

TECHNIQUES ET OUTILS DE CONTRÔLE ET DE RÉGULATION

95

MAINTENANCE ET RÉGULATION DE L'ORGANISATION

GESTION DES VISITES IMPRÉVUES

UTILITÉ

Confronté à une visite imprévue, celle-ci peut vous apparaître inutile ou perturbatrice compte tenu de l'emploi du temps de votre journée. Il s'agit alors de gérer au mieux (et avec élégance) cette perturbation.

MODE D'EMPLOI

1. Prévenir les visites en prenant l'initiative (provoquer plutôt que subir...).
2. Mettre en place un planning d'entretiens avec vos principaux partenaires ; tous les problèmes non urgents se regrouperont naturellement dans ces points de rencontre.
3. Eviter les visites intempestives en fermant aux moments « sensibles » votre porte, en transférant momentanément votre téléphone, en déléguant la rencontre à un de vos collaborateurs. S'isoler ailleurs que dans son bureau représente une solution extrême.
4. Face à l'interlocuteur, proposer d'entrée une durée à l'échange. Si l'objectif est à la fois complexe et non urgent, prévoir un rendez-vous ultérieur.
5. Si l'entretien ne vous semble pas utile, restez debout et ne proposez pas à votre interlocuteur de s'asseoir. Prévoyez avec votre environnement immédiat (secrétaire, collègue) un stratagème pour écourter un entretien inutile : une sollicitation hiérarchique, un cas de force majeure...
6. Si l'entretien se prolonge malgré vous, profitez de la première « accalmie » pour valoriser le résultat obtenu « compte tenu de la qualité de cet entretien ; il me semble difficile de pouvoir dans l'instant aller plus loin...».

CONDITIONS D'EFFICACITÉ

Toutes ces actions ne peuvent avoir qu'une efficacité limitée. Une organisation efficiente repose en amont sur un dispositif préventif : filtrage des visites et des appels téléphoniques, traitement méthodique et durable des dysfonctionnements observés...

96	TECHNIQUES ET OUTILS DE CONTRÔLE ET DE RÉGULATION
MAINTENANCE ET RÉGULATION DE L'ORGANISATION	FICHE INCIDENT

UTILITÉ

Afin de pouvoir apporter une réponse rapide et adaptée à un dysfonctionnement (panne informatique, rupture de stock, réclamation émise par un client...), une trace écrite est parfois nécessaire pour assurer une communication satisfaisante entre celui qui détecte le problème et celui qui est chargé de le résoudre...

MODE D'EMPLOI

1. Certains dysfonctionnements se produisent dans des lieux différents et multiples (exemple des points de vente...) situés à distance de la compétence d'intervention (exemple : le service de maintenance informatique...).
2. Etablir une fiche d'incident standard à transmettre immédiatement au service compétent (si urgence à l'aide de la télécopie...) pour apporter une information fiable sur les caractéristiques observables du dysfonctionnement.
3. Cette centralisation permet d'apprécier à distance l'impact réel des actions ou des moyens mis à disposition. L'analyse des fiches permet d'apporter à la situation soit un traitement curatif/palliatif, soit un traitement préventif.
4. Selon des modalités restant à définir selon le cas d'espèce (systématiquement, au global une fois par mois...), une information doit être transmise en retour aux différentes entités impliquées dans le dispositif.

CONDITIONS D'EFFICACITÉ

Il est essentiel de bien préciser l'utilité de ce support et l'utilisation qui en sera faite. Une formulation précise du dysfonctionnement est essentielle pour favoriser une réactivité conforme au besoin réel...

FICHE INCIDENT

EMISE LE : *9/11*

A : *10 h 15*

PAR : *DUEILS Jean*

SERVICE : *Approvisionnement*

POSTE : *15-24*

ETAT DU DYSFONCTIONNEMENT :

Panne constatée sur l'écran, impossibilité de transférer d'un programme à un autre programme. Aucune modification visible ne s'effectue lors de la commande.

INFORMATIONS COMPLEMENTAIRES :

Cette panne a déjà été réparé le mois dernier (2ème semaine)

PARTIE RESERVEE AU SERVICE :

DATE ET HEURE DE PRISE EN CHARGE : *le 9/11 à 15 h 45*

PAR : *VASSELIN Jacques*

DIAGNOSTIC ET ACTION :

Appel d'un spécialiste car diagnostic délicat à effectuer : dépannage prévu le 10/11 à 10 h 30.

97 TECHNIQUES ET OUTILS DE CONTRÔLE ET DE RÉGULATION

MAINTENANCE ET RÉGULATION DE L'ORGANISATION

LA PRÉPARATION D'UN DÉPLACEMENT PROFESSIONNEL

UTILITÉ

Les déplacements, quelle que soit leur durée, ont pour conséquence de désorganiser la vie professionnelle. Petits ou longs, ils nécessitent, pour être pleinement efficaces, une préparation minutieuse...

MODE D'EMPLOI

1. Eviter au maximum les déplacements : le téléphone et le courrier sont des modes de communication moins coûteux.
2. Choisir les moments les plus opportuns, les regrouper dans la mesure du possible, en confirmant vos rendez-vous dès lors que la confusion ou l'oubli sont des risques potentiels.
3. Confier l'intendance de vos déplacements à des professionnels connaissant vos habitudes et vos contraintes : le moyen le plus rapide n'est pas forcément celui qui permet de gagner le maximum de temps (éviter de conduire vous-même, voyager dans des conditions de confort vous permettant d'optimiser au mieux votre temps de déplacement).
4. Anticiper suffisamment tôt la transmission des consignes pour éviter de le faire dans la précipitation. Laisser vos coordonnées en fixant les plages horaires où il sera possible de vous joindre dans de bonnes conditions.
5. Emporter avec vous un magnétophone et rédiger pour des déplacements longs un journal de bord : ces outils facilitent ensuite la coordination et le suivi des opérations.
6. Préparer votre valise à partir d'une check-list élaborée préalablement en toute quiétude. Ne pas oublier d'y inclure la photocopie de vos papiers ou cartes de crédit.

CONDITIONS D'EFFICACITÉ

Prévoir une marge de sécurité afin d'arriver en avance à vos rendez-vous. Il en va de votre décontraction. Ménagez-vous au retour d'un déplacement difficile une reprise en douceur...

TECHNIQUES ET OUTILS DE CONTRÔLE ET DE RÉGULATION	98

MAINTENANCE ET RÉGULATION DE L'ORGANISATION	RANGEMENT DU BUREAU

UTILITÉ

Organiser de manière logique et agréable l'espace professionnel dans lequel s'exerce votre activité facilite la rentabilité de votre temps de travail et votre capacité à vous concentrer sur des tâches complexes ou créatives...

MODE D'EMPLOI

1. Personnaliser le lieu de travail avec des objets auxquels vous êtes sensibles (photos de famille, reproduction d'œuvre d'art...) développe un sentiment de bien-être et de confort favorable à l'efficacité personnelle.
2. La disposition du bureau doit tenir compte de la fréquence d'utilisation des supports et outils de travail (armoire, dossiers...), de l'accessibilité visuelle (avoir sur un panneau devant les yeux ce que l'on risque d'oublier), de la sécurité (mettre sous clef les documents confidentiels) et des contraintes (encombrement, installation téléphonique...).
3. Utiliser deux bacs distincts pour gérer efficacement le courrier entrée et sortie. Choisir un endroit facile d'accès mais qui limite aussi les perturbations ou dérangements de votre environnement professionnel.
4. Conserver toujours votre table entièrement dégagée en gardant sous la main votre plan de travail de la journée et votre agenda. Disposer de chemises pour assurer un traitement adapté **(transmettre, classer, lire, secrétaire...)** et d'un parapheur pour positionner au jour considéré les documents dont le traitement est différé.
5. Ranger les documents au fur et à mesure (s'imposer avec systématisme cette discipline devient une habitude beaucoup moins contraignante). Ne quitter jamais votre bureau sans avoir remis en ordre votre poste de travail.

CONDITIONS D'EFFICACITÉ

L'ordre le plus strict doit être respecté, il n'est en rien contraire à la personnalisation du lieu de travail. Si cela prend peu de temps de ranger, cela permet d'en gagner ensuite beaucoup...

99	TECHNIQUES ET OUTILS DE CONTRÔLE ET DE RÉGULATION

MAINTENANCE ET RÉGULATION DE L'ORGANISATION	CLASSEMENT RATIONNEL DE LA DOCUMENTATION

UTILITÉ

A un accroissement quantitatif de l'information disponible, se constate rapidement une qualité d'exploitation inversement proportionnelle...

MODE D'EMPLOI

1. Pour les documents à usage occasionnel, choisir un mode de classement associant vue d'ensemble, rapidité d'accès, et grande souplesse d'utilisation (extension). Exemple : l'ordre alphabétique avec des chemises pour subdiviser vos dossiers.
2. Distinguer clairement le classement décentralisé au poste de travail (documents actifs : affaires en cours...), le classement centralisé au niveau du service (documents semi-actifs ou en sommeil...) et l'archivage.
3. Afficher les documents de courte durée sur un panneau prévu à cet effet. Classer à portée de main ce que vous consultez souvent (dans les tiroirs du bureau, à hauteur des yeux sur vos étagères...).
4. Utiliser des moyens de signalisation visuelle (couleurs, cavaliers individualisés...) pour mettre en relief les rubriques. Disposer d'une nomenclature affichée de votre plan de classement pour en faciliter l'exploitation par les personnes concernées.
5. Classer les dossiers par mots-clefs en fonction de leur utilité : préférez à « statistiques » un titre plein tel que « Résultats de l'année ».

CONDITIONS D'EFFICACITÉ

Eviter un classement trop « personnalisé » : vos collaborateurs doivent être capables en votre absence d'utiliser efficacement votre documentation personnelle...

TECHNIQUES ET OUTILS DE CONTRÔLE ET DE RÉGULATION	100
MAINTENANCE ET RÉGULATION DE L'ORGANISATION	MISE A JOUR DES FICHIERS OU DOSSIERS

UTILITÉ

Personne ne peut nier l'importance d'une documentation opérationnelle ainsi que le peu de passion que procure la mise à jour des fichiers ou dossiers...

MODE D'EMPLOI

1. Jeter les documents lorsqu'ils ne présentent plus d'utilité actuelle ou future, ou parce qu'ils sont en cas de besoin facilement accessibles dans une documentation centrale.
2. Assurer un pré-classement immédiat dans une chemise « CLASSER » prévue à cet effet, et effectuer après regroupement une à deux fois par jour un classement définitif.
3. Avant de classer, indiquer la date limite de conservation : cela facilite le travail d'épuration des dossiers à réaliser au minimum une fois par trimestre.
4. Lorsque, dans votre documentation, vous sortez un document pour une période assez longue, mettre un « fantôme », c'est-à-dire une fiche mentionnant la nature du document extrait et les informations facilitant sa recherche. (Qui le détient ?... Retour prévu quand ?...).
5. Tenir un carnet de bord pour garder en mémoire au fur et à mesure les faits marquants et les questions en suspens. Ainsi, a posteriori, il vous sera possible d'enrichir vos dossiers si l'information recueillie est utile à conserver.

CONDITIONS D'EFFICACITÉ

Ne pas multiplier dans un service les sources de documentation, le risque est de faire les choses en double et/ou à moitié... ou de ne plus se sentir vraiment responsable du suivi et de la mise à jour des fichiers et dossiers...

CONCLUSION

Dans un contexte professionnel mouvant, l'organisation représente un vecteur clef de la réussite. L'enjeu est simple : il s'agit de maîtriser les situations auxquelles nous sommes confrontés...

Est-ce un défi réaliste ?...

Développer son POUVOIR d'influence sur les partenaires et événements exige d'acquérir au préalable les moyens du SAVOIR (méthodes) et plus en amont encore l'énergie du VOULOIR *.

Si la détermination s'apprend difficilement dans un livre, nous espérons que L'ORGANISATION AU QUOTIDIEN contribue à renforcer votre savoir-faire dans le domaine des méthodes.

Quoi de plus simple et universel que les techniques et principes évoqués tout au long de cet ouvrage. La performance consiste évidemment à les mettre en application dans des conditions optimales. En effet, tels des tuteurs les outils présentés dans ce guide aident à trouver son chemin face aux divers problèmes quotidiens.

Selon une approche très concrète des situations, ces outils et techniques couvrent en fait l'ensemble des préoccupations et finalités de tout système d'organisation, à savoir les 4 A(xes) :

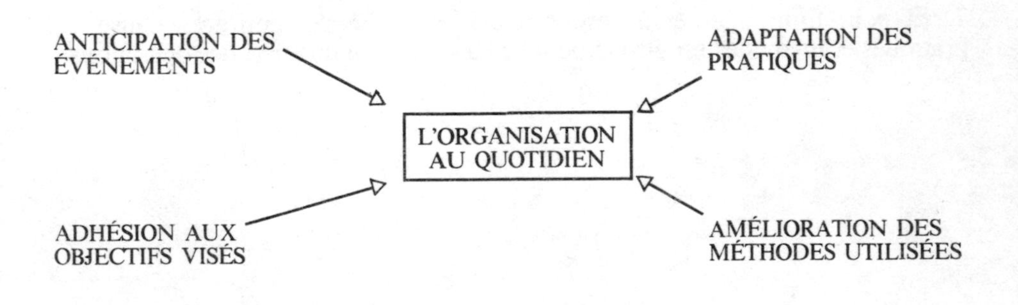

* Dans notre ouvrage *la Bataille de l'efficacité personnelle*, aux Editions d'Organisation (juin 1990), nous décrivons le processus d'action qui permet de mobiliser son énergie sur les objectifs prioritaires.

- ***A... comme Anticipation des événements*** puisqu'il faut être à l'écoute des changements. La préparation du moyen terme doit à ce titre devenir une composante habituelle de notre organisation quotidienne...
- ***A... comme Adaptation des pratiques,*** ceci compte tenu de la fréquence et de la vitesse des changements organisationnels. Il faut savoir être à la fois flexible et rigoureux...
- ***A... comme Adhésion aux objectifs visés*** tant sur le plan individuel que collectif. Elle s'exprime chez nous et chez les autres dans la capacité à se mobiliser durablement sur des buts clairement explicites...
- ***A... comme Amélioration des méthodes utilisées*** dans l'exercice de sa fonction. C'est l'optimisation du rapport entre l'utilité de la prestation réalisée et le temps investi pour y parvenir...

Le pilotage d'un système d'organisation répond de fait à une première nécessité : connaître avec précision les objectifs visés à court et moyen terme. En guise de conclusion, nous vous proposons quelques conseils pratiques sur la mise en œuvre d'un système d'organisation :

1. Savoir qu'il n'y a pas d'organisation idéale : il existe par contre des organisations efficaces et d'autres qui ne le sont pas...
2. L'efficacité repose sur la capacité à « faire vivre » une organisation, c'est-à-dire d'assurer sa continuité et permanence à travers les situations quotidiennes, plutôt que son recours en situation de crise...
3. Chaque outil représente une réponse adaptée à un besoin précis : il faut donc toujours adapter celui-ci aux spécificités de l'activité et à l'utilisation attendue...
4. Exploiter au mieux l'apport des nouvelles technologies, avec notamment la messagerie électronique ou la télécopie pour la coordination et la planification, le micro-ordinateur (suivi de l'activité...) ou la vidéo (l'information et la formation)...
5. Ne pas multiplier le nombre des outils et supports utilisés par soi-même et par l'équipe. En effet, pour créer l'automatisme, il est préférable d'être sélectif dans le choix des outils...
6. Il faut par ailleurs savoir gérer le facteur temps, c'est-à-dire ne pas perdre de vue que tout changement de méthode de travail nécessite une progressivité dans sa mise en place...
7. Et pour finir... garder à l'esprit que la capacité de remise en cause des pratiques et méthodes est étroitement liée à la qualité du suivi des opérations...